青春文庫

会話の「しんどい」がなくなる本

話すのは相手が９割！

ビジネスフレームワーク研究所［編］

上手に〝話す〟には、9割〝聞く〟こと――はじめに

話し上手といわれる人は、じつは聞き上手であることが多いものですが、まずはその反対の〝聞き下手〟の例から紹介してみましょう。

「この間、街で〝ゾウ〟に乗っている人を見かけましてね」

「ほう」

「その人と並んで、信号待ちしましたよ」

「そうですか」

こんな調子では、相手がとっておきの面白い話をしはじめているのに、会話は盛り上がることなく、終わってしまうことでしょう。そんな経験を続けていたら、誰もが他人と話すことを「しんどい」と思うようになるはずです。

こういうときは「えっ、ゾウに乗っている!?」のように、相手の言葉にビビッドに反応してこそ、会話は盛り上がるものです。そのうえで、「えっ、どこで?」という質問を繰り出していれば、相手は、

「あっ、言いませんでしたっけ？　この間、タイに行ったときに」という〝オチ〟を気分よく披露できたことでしょう。

という具合で、会話を楽しく進めるには、「聞く力」が不可欠です。「話す力」よりも、むしろ「聞く力」のほうが重要なくらいで、話し上手といわれる人は、決して会話を一人占めにしたりはしないものです。誰しも、自分のことを話したくなるものですが、理想をいえば、会話は〝相手に9割話してもらう〟くらいの心構えで臨んでちょうどいいのです。

相手に話してもらうことには、いろいろなメリットがあります。第一には相手の「承認欲求」を満たせることです。人は誰しも、他の人から認められたい、価値があると思われたい、という欲求を抱いています。聞き上手の人は、相手の話をよく聞き、その欲求にこたえます。だから、人から好かれ、必要とされ、仲間が増えていくのです。

また、聞き上手になれば、他の人からいろいろな情報をゲットすることができます。自分が話すばかりでは、情報が入ってこないことはいうまでもありません。

むろん、聞き上手になるためには技術が必要で、相手に気持ちよく話してもらうためのいろいろなフレーズを心得ておくことが必要です。

たとえば、あなたがオシャレをして出かけたとき、待ち合わせをしていた人から質問されたとします。そのとき、次の二つの言葉のうち、どちらをうれしく思うでしょうか？

A「すてきな服ですね」

B「すてきな服ですね。（東京の）青山あたりで買われたのですか？」

さて、いかがでしょうか？　Bの質問のほうが心地よく響くと感じた人が多いのではないでしょうか？　このように、上手な質問をすれば、ただ尋ねるだけで、相手をほめ、持ち上げ、気持ちよくさせることができるのです。

というわけで、本書では、多様な「質問フレーズ」を紹介しました。ウィズコロナの時代でも、言葉をうまく選べば、会話を楽しく展開することは可能です。「しんどい…」だなんてもったいない。あなたも本書で「大人のモノの聞き方」を身につけて、「話しやすい人」、「話していて楽しい人」になっていただければ、幸いに思います。

２０２０年11月

ビジネスフレームワーク研究所

会話の「しんどい」がなくなる本◉目次

1 「雑談」で、相手に9割話させる聞き方のコツ……15

「季節の話題」で、相手に話してもらう質問 17
「共通の知人」を話題に出すきっかけのひと言は? 19
そういう聞き方があったんだ!①「相手の趣味」編 21
そういう聞き方があったんだ!②「住所」編 24
そういう聞き方があったんだ!③「相手の家族」編 26
「休日の過ごし方」を話題にすると仲良くなれる 30
それとなく「相手の仕事」を話題にする方法 31
雑談の〝きっかけ〟を作るちょっとしたコツ 34

あえてプライバシーに踏み込むならこんな質問 37
「ふだんの食生活」を尋ねる方法を知っていますか 39
話題をひろげるプロのテクニック 42
「お好み」を聞き出す魔法の質問 44
想像力を刺激するすごい質問 45
column 相手に9割話させるボディランゲージ術 47

2 「初対面」の会話で惹きつける人は、言葉の選び方が違う

「初対面」の会話で惹きつける人は、言葉の選び方が違う……51
初対面のやりとりを成功に導く鉄板フレーズ 53
相手の「出身地」を初対面で話題にするには? 55

あえて初対面で「年齢」を話題にする技術　57
「名刺」には話題を広げるチャンスが埋まっている　60
パーティ、結婚式…初対面の会話をつなげるひと言　61

3　相手に気持ちよく話してもらう　あいづちの「極意」

相手に気持ちよく話してもらうあいづちの「極意」……65
聞き上手は、あいづちで〝軽い驚き〟を表現できる　67
思わず舌がなめらかになる「ほめ言葉」の効用　70
ストレートに話の続きを促すあいづち　72
相手の〝幸運〟を受け止めて話の続きを促すコツ　76
「同感」の気持ちを言葉でスマートに伝える方法　77
「同情」の気持ちを言葉でスマートに伝える方法　79

column 大人がインプットしたいひとつ上のあいづち一覧 82

4 上手く「ほめる」と、誰でもすぐに話したくなる……85

相手をほめながら話題が広がるキラーフレーズ 87
「部下」が自分から話したくなる〝くすぐり〟のコツ 94
「こだわりのファッション」で話題を広げるには？ 96
「相手の髪形」をテーマに話題を広げるには？ 99
「相手の容姿」をテーマに話題を広げるには？ 101
「料理の腕前」をテーマに話題を広げるには？ 106
「お酒」をテーマに話題を広げるには？ 109
「スポーツの腕前」をテーマに話題を広げるには？ 110

人柄を持ち上げると、気持ちよく会話が進む 112
ほめながら相手の話を引き出す聞き方 114

5 大人の「社交辞令」は、いい関係のはじまり

119
大人がおさえたい基本の「社交辞令」です 121
とにかく相手に話してもらえる社交辞令 123
久しぶりに知人と出会ったとき、まず聞くべきこと 127
訪ねてきた人が自分から話したくなるひと言 130
訪問客を送り出すときの社交辞令 131
訪問先から帰るときの社交辞令 133
道でばったり会った人と会話を続けるには？ 134

相手の「体調」を気遣う質問ができますか　139
相手の「病気」を気遣う質問ができますか　141

6　仕事で結果を出せる人は話しやすい！　話して楽しい！……143

「仕事」の話を引き出すときの〝決め手〟のひと言　145
部下の話を引き出したいときの質問　147
商品をすすめつつ、お客の真意を探る方法　150
相手の意見を引き出す提案のコツ　151
「進行状況」を相手に話させるにはこの質問　152
自分の話を相手がどう受け止めたか確認するには？　154
会議を盛り上げるカギは、この「聞き方」にあった　156

〝反論含み〟で相手に話をさせるフレーズ 158
上司に100％「回答」させる聞き方とは？ 159
相手のスケジュールを確認したいときのひと言 161
訪問客から要件を聞き出すプロの聞き方 162
お悩み、トラブル…問題の話を促す質問 164
反論するには尋ねる形で婉曲に指摘する 165
あとでモメないよう、この聞き方で「言質」をとる 167
仕事上の「返答」を要求する聞き方 169

7 誰も教えてくれなかった「前置き」と「質問」の話 …… 173

相手を一瞬で「答える気持ち」にさせる前置き 175

「聞きにくいこと」を聞き出すための前置き　178
相手から「情報を引き出す」ための前置き　182
どうしても「本音」を引き出したいときの前置き　183
「確認」のタイミングで使いこなしたい前置き　185
できるようでできない基本の質問　187
寡黙な相手にしゃべらせる質問　190

付章　相手が気分よく話せるフレーズ、口にしてはいけないフレーズ　194

1　そういう聞き方があったんだ！　194
2　こんな質問は絶対ＮＧ！――ダメな大人の聞き方　206

本文イラスト◆Creaby0/shutterstock.com
DTP◆フジマックオフィス

1

「雑談」で、相手に9割話させる聞き方のコツ

「共感する」、少なくとも「共感する姿勢を見せる」ことで、相手は話しはじめる

雑談で、相手の話を引き出す一番のコツは、相手の話に「共感」すること、少なくとも共感している姿勢を見せることです。聞き手が共感してくれていると思えば、話し手は安心し、気分よく話し続けることができます。

たとえば、相手が「この前、道に迷いましてね」と話しはじめたとき、「何やってるんですか」のように否定的に応じると、相手は口を閉じてしまうことでしょう。

一方、「大変でしたね。それで、どうなりました?」と共感しながら質問すれば、相手はスムーズに言葉を続けるはずです。

このように、相手の立場に立ち、相手と気持ちを共有しようとする姿勢が、相手の言葉をなめらかにし、雑談を弾ませるのです。

では、雑談中、どのように、質問すれば、相手に9割話させることができるのか? 効果的なフレーズを紹介していきましょう。

「季節の話題」で、相手に話してもらう質問

□今日は暑かったですね？

天気は、誰を相手にしても差し障りのない話題。暑いなら暑い、という感覚を共有することで、その場を多少なりとも和ませることができます。その場合、本当にその日が昨日や去年に比べて暑かったかどうかを真面目に考える必要はありません。天気ネタについて話すのは、親しみを交換することが目的で、正確な情報を交換するようなテーマではないのです。

□暑くないですか？ 冷房つけましょうか？

人をオフィスや自宅に招いたときは、過ごしやすい環境を提供するのが、招いた側の務め。相手は遠慮して「大丈夫です」と言うかもしれませんが、そこは察してエアコンをつける配慮がほしいもの。その意味で、このフレーズは、質問の形はとっ

ても、実際には「冷房つけますね」と同じ意味の言葉といえます。相手も本当に不要なら、「寒いほうが苦手なので」と理由を言って断るはず。

□(くしゃみした相手に)花粉症ですか?

春先、マスクをしたり、頻繁にくしゃみをしている人は、花粉症である可能性が高いもの。そんな人には、このひと言が話題づくりのきっかけになります。本当に花粉症であれば、「大変ですね」と話を続ければＯＫ。とくに、自分自身も花粉症の場合は、対策や苦労話などに話を広げられるはず。

□今年は、お花見をされましたか?

桜の咲く時期の定番フレーズ。他にも、桜をめぐっては、「今年はいつ頃が盛りでしょうか」、「明日は雨だそうですが、散らないといいですね」など、いろいろなアプローチが可能。春先の桜は、日本人ならたいていの人は乗ってくるハズレのない話題です。

□そろそろ、高尾山の紅葉がきれいでしょうね？

春の桜と並んで、秋の紅葉は季節の話題の定番。他にも、近所にチューリップやひまわりなど、季節を代表する花の名所があれば、その季節用の話題として頭に入れておくと便利。

「共通の知人」を話題に出すきっかけのひと言は？

□○○さんはお元気でいらっしゃいますか？

雑談ネタの一つに「共通の知人」があります。たとえば、取引先との雑談では、前任の担当者など、共通の知人を話題にすると、場を和ませることができます。そのとき、「○○さん、どうしていらっしゃいますか？」と漠然と聞くよりも、「お元気でいらっしゃいますか？」と、ポジティブに尋ねたほうが、相手は答えやすいもの。そこから、現在の仕事ぶりなどに話が広がれば、相手の会社をより深く知る手がかりにもなります。

□○○さんとは、どこでお知り合いになったのですか？

共通の知人がいるときは、どうやって知り合ったのか、その経緯を尋ねるだけで、会話をつなぐことができます。雑談中、間が空いたときは、以前聞いたことがあったとしても、「そういえば、○○さんとは、△△でお知り合いになったんでしたっけ？」などと話を振れば、相手は以前よりも詳しい話をしてくれて、間を埋められるはず。

□○○さんとのおつきあいは、もう長いんですか？

共通の知人がいても、どこで知り合ったのか、聞くのが憚られることもあるでしょう。そんなときは、つきあいの期間を尋ねるのが得策。期間なら相手も気軽に答えられますし、差し障りがなければ、二人の関係についても話してくれるはず。

□そういえば、○○さん、どうしているんでしょうね？

最近は、顔を合わせていない共通の知人の消息も、話題に困ったときに重宝するネタ。「そういえば……」と話を切り出すと、唐突感を薄めることができます。相手が最近の様子を知っていれば、その話を聞けばいいし、知らなければ知らないで、互いに知っている頃のエピソードで会話をつなぐことができます。なお、これは、共通の知人ネタすべてに共通することですが、「悪口」はＮＧ。相手がその人のことをよく思っていれば、雰囲気が台無しになることもあります。

そういう聞き方があったんだ！①「相手の趣味」編

□ひいきのチームは、どちらですか？

相手がスポーツ好きなら、ひいきのチームについて聞くのが、雑談の定跡。野球やサッカーの他、大相撲のひいき力士について尋ねてもＯＫ。相手はファンなのですから、「そうですか。最近の調子はどうですか？」などと水を向ければ、楽しそうに話してくれるはず。

□○○選手って、本当にすごいですね？

スポーツ、なかでも野球ネタは雑談の定番。とりあえず世間で話題になっているチームや選手に関するネタを振ればいいでしょう。相手が詳しければ、あいづちを打つだけで、会話は弾んでいきます。

□今シーズンは、もう何回か行かれましたか？

これは、スキー、登山、釣りなど、アウトドア系の趣味を持つ人向けの質問。「今年は雪が多いので、スキーにはもってこいじゃないのですか？」など、天候ネタを織りまぜると、相手は答えやすくなります。「どのあたりに行かれるんですか？」と、場所について尋ねるのも、アウトドア系用の定番の聞き方です。

□釣りがご趣味だとうかがいましたが、最近の釣果《ちょうか》はいかがですか？

前もって相手の趣味について知っていれば、話のきっかけをつかみやすいもの。ただ「ご趣味は釣りだそうですね」だけでは、「ええ、そうです」で終わってしまうことも。「最近の釣果は？」、「どのあたりに行かれるのですか？」などと、具体的に質問すると、相手は答えやすくなり、話が弾みます。

□ゴルフの腕はプロ並みだそうですね？

相手がかなりの腕前と聞いているときには、そのことを耳にしていると伝えながら質問するといいでしょう。相手は、腕前自慢をしやすくなり、こちらは相手を〝師匠〟に見立てた質問をしやすくなります。たとえば、ゴルフの場合、「パットのコツはなんですか？」のように、教えを請う姿勢を示せば、相手は気分よく〝９割〟話してくれるはず。

□初心者は、どこからはじめたらいいのでしょうか？

相手の趣味に関する知識が乏しく、質問を思いつかない場合には、こう尋ねるといいでしょう。相手の趣味に興味のあることを示せば、相手はいろいろ教えてくれるはず。「私にもできるでしょうか？」、「おすすめの入門書はありますか？」、「道具は何から揃えたらいいですか？」などと質問を繰り出せばＯＫ。本当に相手と親しくなりたいときには、「今度、一緒に連れていってくださいませんか？」と懐に飛び込むのも手です。

□学生時代は何部だったんですか?

相手の趣味を探り出すための質問。とくに酒席では、学生時代の思い出話を話題にすると、「バカやりました」などと話が弾むもの。一献傾けながら、親しくなりたいときにふさわしい質問です。また、勉強やバイトで忙しく、部活動どころではなかった人もいるでしょうが、その場合はそちらを話題にすればOK。

そういう聞き方があったんだ!② 「住所」編

□たしか、お住まいは○○でしたよね?

あまり親しくない相手との雑談で、手頃な話題が浮かばないときには、この質問が有効。たとえ、うろ覚えで間違った場所を言っても、相手はさほど気にはしないもの。「いえ、△△です」と相手が答えれば、そこからまた話を続ければいいでしょう。

□あのあたり（相手の出身地やいま住んでいる町）もずいぶん変わったでしょう？

相手の出身地や住んでいるところを知っている場合には、こんな聞き方をするのも手。「以前近くに住んでいた」、「知り合いが住んでいる」などと、自分とその地域の接点を伝えれば、相手との距離感を縮めることができます。

□ご出身は、島根県の松江市だそうですね。シジミが採れるんでしたっけ？

相手の出身地を知っているときは、あらかじめその土地の情報を調べておくだけで、話題に困ることはありません。名産品や観光地など、キーワードだけでも仕入れて質問を繰り出せば、相手にとっては出身地の話題ということで、いろいろ話してくれるはず。

□ご実家には、年に何回かお帰りになるのですか？

多少親しくなった人相手には、出身地から一歩踏み込んで、「実家」を話題にするという方法もあります。相手の年齢に応じて、「いまはご両親がお住まいなのですか？」、「お孫さんが戻ってこられると、ご両親もお喜びでしょう？」などと、家族の話を振れば、話が伸びるもの。

そういう聞き方があったんだ！③「相手の家族」編

□お子さんは、もう大きくていらっしゃるんですか？

家族に関する話は、配偶者よりも、子供のほうが話題にしやすいもの。相手が四十～五十代の人なら、とりあえずこんな質問をすればいいでしょう。たとえば、相手が「もう中学三年になります」と答えれば、「そろそろ受験ですね、大変でしょう」などと応じれば、相手に話させることができます。

□お子さんも大きくなられたでしょうね？

前項と似たフレーズですが、こちらは久々に会った古い知人との話題用。こう話を振れば、相手の言葉を引き出しやすくなります。ただし、相手が子供の話を避けたいようであれば、深追いは避けること。これは、子供だけでなく、家族の話題全体にいえることです。

□お子さんは、もう小学校でしたっけ？

古い知人相手には、こんな聞き方でもOK。じつはもう中学生ということもありますが、「もう、そんなになりますか。子供が大きくなるのは早いですね」などとフォローしておけば、相手は気にしないもの。

□さっきお嬢さんの姿を見かけましたが、そろそろご卒業では？

相手の自宅を訪問したときには、家族の話題は定番中の定番ネタ。家族が留守の場合でも、「そのピアノはお嬢さんのですか？」、「そちらに置いてある写真は、家族旅行されたときのものですか？」など、家族に関して目についたものを話のとっかかりにすればOK。

□ご家族のみなさんはお変わりありませんか？

相手の家族を知っている場合には、この質問を使うといいでしょう。続けて、以前会ったときの思い出話をすると、話を広げることができます。「あのとき、奥様には、手料理を振る舞っていただいて」、「お子さんのビデオを見せていただいたんですよね」などと話せば、相手も家族の話をしやすくなります。

□ご家族とご一緒にお住まいですか？

相手が独身の場合、家族と一緒に暮らしているか、一人暮らしかを尋ねるのも、相手との距離を縮めやすい質問。相手も自分も、家族と一緒に暮らしていれば、それに関係する話を広げればいいし、相手が一人暮らし、こちらが家族と一緒に暮らしている場合には、「一人だと、なにかと自由でいいでしょう」などと、その違いを話題にすればいいでしょう。

□ご両親はご健在ですか？

以前、自宅を訪ねたり、結婚式で出会ったなど、相手の両親について多少なりとも知っているときに使える質問です。ただし、これは基本的に目上からの質問であり、目上の人に対して使うと失礼な印象を与えやすいので注意。

□○○さん、ご兄弟は？

兄弟関係を聞くのは、相手を知る常套手段の一つ。「下に弟がいて」と返ってきたら、「私も弟がいるんですよ」や「私は妹しかいないので、うらやましいですね」などと、自分のことも明かして話を進めると、場を盛り上げやすくなります。また、相手が長男とわかった場合には、「それで、○○さんは頼もしい感じがするんですね」と、その人の人柄に話を展開することもできます。

□お孫さん、幼稚園ですか？　かわいい盛りですね

年輩者には、孫に関する質問をすると、他の家族以上に話が伸びやすいもの。質問内容は、年齢、習い事の他、「何人いらっしゃるんですか？」と人数を尋ねるのもOK。年配者にとって、孫は子供と違い、育てる責任がない分、気軽に話題にできるテーマです。スマホに保存した孫の写真を見せてくれる人もいるでしょうから、

その場合は「かわいいですね」というほめ言葉を忘れずに。

□それはおめでとうございます。予定日はいつですか？

本人やその身内から懐妊を知らされたときには、お祝いの言葉とともに、予定日を聞くのがお約束。続いて、「もう、準備ははじめられていらっしゃるんですか？」、「性別はもうわかっていらっしゃるんですか？」などと、質問を繰り出せばＯＫ。いずれにせよ、この話題では、「おめでたい」という雰囲気を漂わせながら、会話を続けることが大切です。

「休日の過ごし方」を話題にすると仲良くなれる

□お休みの日は、どうやって過ごされているんですか？

「休日」の過ごし方は、趣味の方向に話題を伸ばせる質問。相手が「ゴルフに行ってることが多いですね」と返してくれれば、ゴルフの話に展開すればＯＫ。「庭仕事をしていることが多いですね」と返ってきたときは、その方向に話題を広げればいいでしょう。

□**アフター5は何をされているんですか？**

これも、相手の趣味や関心事に話題を向けるフレーズ。いきなり「趣味は何ですか？」と聞くよりは唐突感がなく、相手の答え方によっては、話を意外な方向に展開することもできます。

それとなく「相手の仕事」を話題にする方法

□**ここのところ、お忙しそうですね？**

他の部署の先輩などと、エレベーターやトイレなどで出会ったときには、こんなひと言をかけるといいでしょう。ビジネス社会では、「忙しい」は「仕事ができる。必要とされている」という意味なので、相手は悪い気はしないはずです。実際は忙しくはなかったとしても、相手の反応としては恐縮することはあれ、怒ることはないでしょう。

□お仕事のほうは順調ですか?

久々に会った古い知人や親戚とは、何を話せばいいかわからないときがあるもの。そんなときは、とりあえず仕事の話を振ってみるといいでしょう。相手も大人なら、「相変わらずです」、「まあ、それなりに」などと返してくるものですが、「景気はいかがですか?」、「今年の見通しはいかがです?」、「どんな部署でしたっけ?」などと、当たり障りのない質問から、会話が広がりそうな〝鉱脈〟を探すといいでしょう。

□もう入社してから、何年になるのかな?

久々に会った以前の部下や後輩に対して、話すことが浮かばないときは、こんな質問からはじめるといいでしょう。数字を聞く具体的な質問なので、相手も答えやすいので、そこから、最近の様子などに話を広げていくことができます。

□ご自宅から会社までは、どのくらいかかるんですか？

大都市圏では、「通勤時間」は雑談テーマの一つになります。いきなり住所を聞くと、相手との親密度によっては不躾な印象を与えてしまうこともありますが、通勤時間なら気兼ねなく聞けるもの。相手も差し障りがなければ、自宅や職場の場所も一緒に話をしてくれるでしょうし、言いたくなければ、時間だけ答えることでしょう。その意味で、相手が当方に対して感じている距離感もさりげなく知ることができる質問です。

□私には想像できませんが、大変なご苦労があったんでしょうね？

取引先の年輩者や上司が昔話をはじめたときに、下手に「わかりますよ」とあいづちを打つと、「若造に何がわかるんだ」と内心で反発する人もいるかもしれません。人生の先輩の苦労話には、「わからない」としながらも「ご苦労されたんでしょうね？」とねぎらうのが、後輩の役回りといえます。

雑談の〝きっかけ〟を作るちょっとしたコツ

□昨日の台風すごかったですね、大丈夫でしたか？

天気は雑談ネタの定番。なかでも台風、大雨、大雪などの非日常的な天候は、一段と話を展開しやすいものです。「ウチでは一瞬、停電になりましたが、お宅は大丈夫でしたか？」など、自分の話をしてから、相手の様子を聞くと会話をつなげやすくなります。

□○○（地名）って、どうでした？

出張や旅行に行ってきたという人には、欠かせない質問。とりわけ、お土産をもらった場合は、聞くのが大人の礼儀ともいえます。その場合、その土地に関して多少の知識があれば、「私は以前、近くの△△には行ったことがあるんですが？」などと、共通の話題を出して盛り上げることもできます。

□いつも、どんな番組を見ていられるんですか？

休日の過ごし方を尋ねて、相手が「ごろごろして、テレビを見ていることが多いですね」などと答えたときには、この質問で応じるといいでしょう。相手が見ているという番組を自分も見ていれば、感想を言い合えばいいし、見ていない場合には「テレビ欄を見て気になっていたんですが、どんな内容なんです」といって、相手の話を聞けばOK。

□この店、いつも利用されているんですか？

食事に誘ってもらった店では、まず「いい雰囲気の店ですね」、「美味しいですね」などとほめるのが大人のマナー。続いて、「いつも利用されているんですか？」と質問すれば、相手はいろいろと話してくれるはず。この質問は「いつも利用したくなるほど、いい店」という意味を含んでいるので、その店を選んだ相手のセンスを評価していることも伝えられます。

□この近くの○○屋さん、雑誌でよく紹介されていますが、行かれたことありますか？

テレビや雑誌で紹介された店は、共通の話題にしやすいもの。それが近所にあれば、なおさらのことです。たとえ相手が知らなくても、近所の話だけに相手も関心があるでしょうから、紹介されていた内容を相手に伝えることで、話を広げることができます。

□ところで、○○ってご存じですか？

これは、話題に困ったときの奥の手的な質問。唐突感は拭えないものの、うまくハマって、相手が「知ってますよ」と応じてくれれば、「どう思われますか？」などと質問を続けることができます。一方、「存じませんが……」となったときは、自分から話すことになりますが、相手の関心事に近い話をうまく選んでいれば、意外に相手が興味を示してくることもあります。

あえてプライバシーに踏み込むならこんな質問

□どんなジャンルの本を読まれるんですか？

待ち合わせ時間などに、相手が本を読んでいる姿を見かけたときには、本を話題にするといいでしょう。相手について知るうえでも、格好のネタになります。好きなジャンル以外に、最近面白かった本を聞いてもいいでしょう。

□どのような音楽をお聴きになるんですか？

相手が音楽好きとわかっている場合には、この質問が定番に。同じジャンルが好きであれば、しぜんに話が広がるでしょうし、自分とはジャンルが異なる場合には、いろいろと質問すればＯＫです。話を広げるなか、自分の好きなジャンルを伝えると、相手も話しやすくなるものです。

□昔、どんなアルバイトしてました？

学生時代のアルバイト話は、世代を問わず、盛り上がりやすいネタの一つ。誰しも失敗談などを面白おかしく話せるものです。いろいろな経験をした人は、興味深いエピソードを披露してくれるでしょうし、一カ所で長く働いていた人は、懐かしそうに話してくれるはず。

□何かペットを飼われているんですか？

ペットを飼っている人は、この質問を待っているもの。会話からペットを飼っていそうな雰囲気を感じたら、すかさず聞いてみるのが得策です。さらに「どんなワンちゃんですか？　写真ありますか？」などと尋ねれば、スマホに保存した写真を見せながら、ペットについてうれしそうに話してくれることでしょう。

□犬派ですか？　猫派ですか？

多くの人は、犬好きか猫好きに分かれるもの。たわいない質問ですが、意外に盛り上がることもあります。もっとも、猫派の人に猫の悪口を言ったり、自分は犬派だからと犬のよい点ばかり主張すると、相手を不愉快にさせかねないので、その点はご注意のほど。

□○○さんのご専攻は?

相手の学歴を知りたくても、大学名については言いたくない人もいます。そこで、まずは専攻を聞くといいでしょう。大学名を明らかにすることに抵抗がない人は、専攻名とともに「□□大学で」、「△△教授に習って」などと話すでしょうし、言いたくない人は専攻名を言うだけで、あまり大学の話題は口にしないはず。

「ふだんの食生活」を尋ねる方法を知っていますか

□ランチはいつもどうされているんですか?

昼食は、一日のうちで自由度が高い食事だけに、雑談のテーマにしやすいテーマです。こう尋ねると、「以前は外食でしたが、最近は節約のため弁当にしてます」といった答えから、景気の話などに移ったり、「たいていコンビニ弁当です」といった話から、最近のコンビニ事情に展開するなど、雑談を広げるとっかかりにしやすいもの。

□お昼ごはん、何食べました？

これも、前項と同様、自由度の高いランチを話題にする質問。その人がその日何を食べたかというプライベート情報をあえて聞くことで、「あなたに関心を持っている」と伝えることができます。ただし、これは昼食に限った話で、朝食・夕食はさらにプライベートに踏み込む質問になるので、よほど親しくならないうちは聞かないほうが無難です。

□お酒はどんなものを飲まれますか？

相手が酒好きとわかったときは、好みの種類についても聞いてみたいもの。昨今は焼酎好き、ワイン好き、日本酒党など、好みが分かれているので、質問しても不自然さはありません。

□お弁当は、ご自身でお作りになるのですか？

手作り弁当を食べている人にかける無難なひと言。作り手が本人なら、弁当の中身以外に、作る手間ひまについて話を展開できます。家族が作ったものなら、彩りや栄養バランス、家族仲のよさなどをほめておきたいもの。昨今は「弁当男子」も増えているので、マメそうな男性相手にも使えるフレーズです。

□得意な料理は何ですか？

相手が料理好きとわかったときは、こう質問したいところ。相手が料理名を答えたら、そのレシピや美味しく作る秘訣、こだわりポイントなどを聞けばいいので、しばらく間をもたせることができます。ただし、女性だからといって、必ずしも料理好きとは限らないので、相手に応じて聞くようにしましょう。

□きっと美味しいんでしょうね？

相手が料理や食べたものについて話しはじめたときには、こう尋ねるといいでしょう。目の前にない食べ物について説明されても、実際は美味しいかどうかわかりませんが、「よくわからない」では相手の興を削ぐことになりかねません。とりあえず、こう聞いておくと無難です。

□**どちらかといえば、甘党ですか？　辛党ですか？**

ケーキなど甘いものが好き（甘党）か、お酒が好き（辛党）かを問う聞き方。「辛党」といっても、辛いものや塩辛いものを好きという意味ではないので注意。いかにも「辛党」風な人が、じつはお酒が全然ダメといった意外な一面がわかって、意外に話が広がることもあります。

話題をひろげるプロのテクニック

□**戦国武将の中で、誰がいちばん好きですか？**

相手が歴史好きとわかっている場合には、歴史ネタも雑談に利用できます。なかでも、戦国武将ネタは、最強の歴史ネタであり、いまやオヤジネタとはいえません。「歴女」と呼ばれる歴史好き女子も増えています。

□維新の志士の中では、誰がいいですか？

歴史ネタのうち、戦国武将に次いで使いやすいのが、幕末・明治維新ネタ。酒席などで、維新の志士のうち、誰が好きかを尋ねれば、「ベタだけど、やっぱり龍馬かな」、「西郷隆盛でしょう」などと盛り上がることもあります。なお、この手の雑談では、相手が好きだと挙げた人物を否定しないのが大人のルール。

□温泉へ行きたいのですが、どこかおすすめはありますか？

日本人には温泉好きが多いので、雑談中に「温泉でも行きたいなあ」というセリフが登場することがあります。そんなときは、「私も行きたいんですが、どこかおすすめはありますか？」と話を広げればいいでしょう。おすすめの温泉を一つや二つ持つ人は少なくないので、しばらくは間をもたせることができるはず。

「お好み」を聞き出す魔法の質問

□いつもは何を飲まれるのですか？

お酒をネタに会話のきっかけをつかむ定番フレーズ。そのさい、ビールを飲んでいる相手から「いつもは、もっぱらサワーなんですよ」などと返ってきたら、「では、サワーのメニューをお持ちしましょう」と応じて、気配りを示すことができます。

□おやっ、ジュースでよろしいんですか？

ソフトドリンクを飲んでいる人に、「軽くいかがですか？」と酒をすすめるフレーズ。「今日はあいにくクルマなので」、「不調法でして……」などという人には、むろん無理強いはNG。そんな人には、「温かい飲み物（コーヒーやお茶）もあるようですよ」と、種類の違った飲み物をすすめるといいでしょう。

□辛いものはお好きなほうですか？

タイ料理をはじめ、スパイシーなエスニック料理は好みが分かれるだけに、接待などで利用するときは事前確認が必要。接待に誘い出したい相手が、「辛いものは得意ですよ」と乗ってくれれば、シメたもの。「そうですか。いい店があるんですよ。今度ぜひ行きましょう」と話をスムーズに進められます。

想像力を刺激するすごい質問

□いままで食べたものの中で、一番高価なものって何ですか？

ここからは、おもに酒席用の質問。アルコールが入ると、シラフでは聞けないような変な質問から、意外に盛り上がることがあります。たとえば、「一番高価」というのは、ふだんはあまり話さない内容。互いに、「何だろう？」と考えるうちに、面白い話にたどりついたりするもの。

□いままでで一番ムダづかいしたものって、何ですか？

これまた、酒席用のたわいもないネタ振りの一つ。相手の答えを促すため、「私の場合は、結婚相談所に払ったお金ですかね」などと自虐ネタに持ち込むこともできますし、「酒にはどれぐらいつぎこんだか、わからないなあ」などと趣味・嗜好にからめた話につなげることもできます。

□無人島に本を一冊だけ持っていくとしたら、何持っていきます？

定番ながら、遊び心がある質問。「何度読んでも飽きない」、「最も実用的」といったいろいろな観点からの選び方があるので、そこから話が広がることも。ただし、このような非現実的・空想的な話題を好まない人もいるので、相手を選びたいところです。

column

相手に9割話させるボディランゲージ術

●相手が話しはじめた瞬間、数センチ身を乗り出す

相手に話させるには、ランゲージ（言語）だけでなく、ボディランゲージ（身体言語）をうまく使うことも必要です。体の動きや表情で「話を面白く聞いています」というシグナルを送れば、相手に気分よく話してもらうことができます。

そこで、相手が話しはじめたときは、体を少し前に乗り出しましょう。数センチ体を前に出すだけで、相手に「あなたの話を聞きたい」というシグナルを送ることができます。

●腕組みは絶対のNG

一方、会話中の腕組みは、絶対のNGです。腕組みは、心理学では「クローズド・ポジション」と呼ばれ、自分を守り、相手を拒否するしぐさとされています。そのため、少なくとも相手は「話しにくい」と感じるはず。親しい間柄

でも、会話中の腕組みは避けたほうが賢明ですし、初対面の相手に対しては絶対のNG。「人と一緒にいるときは腕組みはタブー」くらいに心得ておいたほうがいいでしょう。

●作り笑いでもいいから、意識的に笑みを浮かべる

人は会話中、相手の表情を確かめながら、話をしています。相手が笑顔であれば、「この話題に興味がある」と認識して、その話を進めていき、一方、聞き手の反応が薄いと、話そうという意欲がしだいに薄れていきます。

だから、人に話させるためには、笑顔が必要です。多少、あいづちや質問が下手でも、笑顔で耳を傾けていれば、話し手は気分よく話してくれるものです。

●うなずきは、最良の「身体言語」

聞き手がタイミングよくうなずくと、話し手は聞き手が話をちゃんと聞いていることを確認でき、安心して話そうという気になるもの。話し手をよりのせるには、ただうなずくだけでなく、相手の顔をしっかり見たり、興味津々という表情を作ることが必要。表情によって、「あなたの話を関心を持って聞いています」ということを、よりはっきり伝えることができます。

●少なくとも、二通りのうなずき方を心得よう

ただ、「うなずく」といっても、いろいろなうなずき方があり、どのようにうなずくかで、相手に伝えるメッセージは変わってきます。うなずき方の速さや深さを変えることで、聞き手として気持ちを話し手によりわかりやすく伝えることができます。

まず、相手の話に対し、小さくうなずくと、「あなたの話を聞いています」、「あなたの話に納得しています」というメッセージを伝えられます。一方、大きくうなずけば、「大いに納得しています」、「大変面白いと思っています」という気持ちを表せます。

●背の高い人は座って会話する

背の高い人は、ただでさえ威圧的な印象を与えかねないので、人の話を聞くときには、相手との身長差に注意したほうがいいでしょう。とくに、相手の身長がかなり低いときには、注意が必要です。立ったまま会話を続けると、相手を見下ろしながら聞くことになるため、話し手によけいなプレッシャーを与えかねないからです。

そこで、身長差があるときは、椅子に座って話を聞くといいでしょう。自分から座り、相手にも着席を促せば、相手はこちらの意図に気づくことなく、席についてくれるはずです。

●相手に話させるには、席の選び方も大事

どのような位置関係で座るかで、相手が気持ちよく話してくれることもあれば、そうはならない場合もあります。たとえば、相手が人見知りタイプのときは、正面に向かい合って座るのは避けたほうが賢明。向かい合うと、相手は話しにくく感じ、話が盛り上がらないということになりやすいのです。

おすすめは、席を少しずらして、斜め正面に座ること。目線をほんの少しずらすだけで、相手の緊張感は和らぐはずです。ウィズコロナの時代、ソーシャル・ディスタンスをとるうえでも、おすすめの座り方です。

2

「初対面」の会話で惹きつける人は、言葉の選び方が違う

質問力と観察力で、初対面の人との雑談を盛り上げる！

初対面の人との雑談の定番コースは、「趣味」を話題にすること。むろん、自分の趣味ではなく、相手の趣味をテーマにすることです。「休日はいかがお過ごしですか？」と尋ねれば、おおむね相手は趣味について話しはじめるはず。たとえば、相手が「音楽を聴いていることが多いですね」と答えれば、すかさず「どんなジャンルの音楽がお好きですか」と質問を続けます。その後は、疑問点を聞いていけば、しぜんと話が広がっていきます。

次に、初対面の人との雑談で心がけたいのは、相手との共通点を探すことです。人間関係は不思議なもので、共通点が見つかると、急速に距離が縮まるもの。趣味、生まれ故郷、出身校などの情報から探っていけば、どこかに共通点は見つかるものです。

共通点が見つからないときは、相手のことをより観察してみましょう。たとえば、相手が日焼けをしていれば、スポーツやアウトドアを趣味としている可能性が高いといえます。そのことを話題にすれば、趣味へと話が広がっていくはずです。

初対面のやりとりを成功に導く鉄板フレーズ

□失礼ですが、お住まいはどちらですか？

初対面の人との会話では、どこに住んでいるかを尋ねるのが定番。「吉祥寺です」と相手が答えれば、「ああ、井の頭公園があるところですね」、「あのあたりには学生時代、住んでいました」などと、話を広げるきっかけが生まれるものです。

□失礼ですが、どのようなお仕事をされているのですか？

仕事以外で知り合った人とは、職業に関する質問が会話のきっかけになりやすいもの。とはいえ、いきなり職業を聞くのは不躾なので、「失礼ですが」、「恐れ入りますが」などの言葉を添えることを忘れずに。また、相手が「〇〇系」でなどと曖昧な答えを返してきて、あまり話したくない雰囲気のときは、深追いは禁物です。

□こちらへは、いつ着任なさったんですか？

新しい担当者が転勤してきたときなど、仕事で新しく知り合った人に使える質問。「いつ着任なさったんですか？」と尋ねた後、「どちらから転勤されてきたのですか？」、「環境が変わっていかがですか？」などと、質問を続けやすいテーマです。

□いい体格をなさっていますね。何かスポーツでもやっていらっしゃるのですか？

初対面の人がいい体格をしている場合には、スポーツ経験に関係する質問を投げかけてみるといいでしょう。スポーツ経験者には、そのことに誇りを持っている人が多いので、話に乗ってきてくれることが多いはず。

□以前、どこかでお会いしていませんか？

何度か顔を見かけたことはあっても、話すのは初めてという人への質問。向こうも、こちらの顔くらいは見知っているでしょうから、「御社を訪ねたときにお見かけしていました」などと応じてくれるはず。「なるほど、それで」などと返しながら、「共通の知人」あたりを話題にすれば、しぜんに打ち解けることができます。

相手の「出身地」を初対面で話題にするには？

□どちらのご出身ですか？

初対面の人と会話するとき、「出身地」は最も使い勝手のいい話題。「どちらのご出身ですか？」、「鹿児島です」、「あの西郷さんと桜島で有名な。ラーメンも美味しいですよね」などと、しぜんに話題が広がっていきます。偶然、同郷だったりすると、心理的な距離をぐっと縮めることができます。

□いいところなんでしょうね？

相手が出身地を教えてくれたが、その土地についてよく知らないときには、「いいところなんでしょうね？」と応じておけばＯＫ。多くの人は、故郷に愛着を抱いているもの。いろいろと話してくれることでしょう。

□そちらには、おいくつまでいらっしゃったのですか？

相手が出身地について答えたものの、その後、いまひとつ会話が弾まない。そんなときは、このフレーズを繰り出すといいでしょう。地方出身者の多くは、高校時代までは出生地で暮らしていたはず。いつまで故郷にいたかを尋ねれば、相手は自分の経歴をある程度は話すことになるので、それを糸口として話を広げやすくなります。

□もしかして、○○のご出身ですか？

初対面の人に出身地の話を振るには、こんな変化球タイプの質問もあります。相手の故郷を推理して質問するのです。たとえば「もしかして、香川のご出身ですか？」と尋ねてみる。うまく当たって「そうですよ。なぜ、わかりました？」と相手が応じれば、「うどん好きとおっしゃったので」などと答えます。外れた場合には「残念！　では、どちらなんですか？」と続ければＯＫです。

あえて初対面で「年齢」を話題にする技術

□ご年齢をうかがってもよろしいですか？

近年は、プライバシー感覚の高まりから、初対面では「年齢」を聞きにくい世の中になっています。とはいえ、いまなお年功序列意識は残っているので、年上か年下かなど、相手の年齢がわからないと、落ちつかないという人が多いことでしょう。

そこで、年齢が気になるときは、できるかぎり丁寧に尋ねること。単に「おいくつですか？」と聞くのではなく、「ご年齢をうかがってもよろしいですか？」と許可を求める形にするのが、現代の常識。相手が答えてくれたときには「お若く見えますね」とほめるのを忘れずに。

□入社何年目ですか？

ただし、前項のように「ご年齢をうかがってもよろしいですか？」と尋ねられるのは、相手が男性の場合に限られます。相手が女性の場合は、いくら丁寧に聞いたところで、年齢を聞くのは昔からのタブー。まだしも許されるのは、「入社何年目ですか?」という質問です。相手が中途入社の場合もあるので、この質問ではっきりとした年齢がわかるわけではありませんが、おおむねのところは想像がつくものです。

□○○さんよりも先輩(後輩)ですか?

取引先の担当者が代わった場合は、この質問でおおむねの年齢を知ることができます。前任者の年齢を知っている場合、先輩か後輩かがわかるだけでも、だいたいの年齢を察せるもの。ビジネス上のつきあいの場合、こう水を向ければ、向こうもこちらと打ち解けたいと思っているはずですから、進んで年齢を明かしてくれるかもしれません。

□この前、阪神が優勝したとき、おいくつでした?

相手の年齢がわからないと困るのは、雑談がもうひとつ弾まないこと。社会的な事件を話題にするときも、相手がその年いくつかだったかがわからなければ、もうひとつ話に乗れないものです。そこで、社会現象を逆手にとって、相手の年齢に見当をつける手もあります。たとえば、相手が阪神ファンだとわかったときには、「この前、阪神が優勝したとき、おいくつでした？」と聞けば、年齢に見当をつけることができます。

□ドラゴンボール世代ですか？

雑談中、趣味の話になったときは、相手の年齢に見当をつけるチャンス。相手の趣味にからめた質問を繰り出すのです。たとえば、相手がカラオケ好きだとわかれば、「安室チャンの世代ですか？」、「ピンク・レディー世代ですか？」というように。相手がテニスが趣味と答えれば、「錦織選手と同い年くらいかな？」などと尋ねればOK。

「名刺」には話題を広げるチャンスが埋まっている

□失礼ですが、珍しいお名前ですね。ご出身地に多いお名前ですか？

珍しい名前の人と名刺交換したときは、雑談を広げる大きなチャンス。「珍しいお名前ですね」に続けて「ご出身地に多いお名前ですか？」と尋ねれば、しぜんな流れで相手の出身地を知ることができるはず。話題選びの選択肢を広げることができます。

□いいお名前ですね。何かいわれでもあるのですか？

初対面の人と名前ネタで盛り上がるには、名前をほめるのも一つの方法。ほめた後、「何かいわれでもあるのですか？」と尋ねれば、相手はうんちくの一つも話しはじめてくれるかもしれません。

□失礼ですが、どのようにお読みするのですか？

これは、雑談を弾ませるというよりも、失礼がないようにするための質問。初対面の人から名刺を受け取ったとき、その読み方を確認するのは基本的ビジネスマナーです。難読の場合はもちろんですが、そうでないときも確認が必要なケースがあるもの。たとえば、下の名前が「良子」の場合には「りょうこさんですか、よしこさんですか」と確認するように。

パーティ、結婚式…初対面の会話をつなげるひと言

□主賓の方のお知り合いですか？

パーティや宴席で、初対面の人と話すのは、何かと気詰まりなものですが、まずはこう話しかければ、会話の糸口をつかめることでしょう。こう尋ねれば、相手は主賓の知り合いであろうとなかろうと、何らかの言葉を返してくるはず。とりあえず会話をスタートさせてみて、自分のことも話しながら、話を広げるきっかけを探っ

ていけばいいでしょう。

□失礼ですが、新郎とはどのようなご関係ですか?

結婚式では、テーブルの都合で、初対面の人と隣り合うこともありますが、おめでたい席だけに、そんなときは和やかに談笑したいもの。そこで、まずは、この質問を投げかけてみるのが無難です。着席表に友人や従兄弟などと書いてあっても、あえて尋ねてみて、何らかの共通項を発見できれば、そこから話が盛り上がっていくはずです。

□ご一緒の方を紹介していただけませんか?

パーティや宴席で初対面の人と話したいときは、自分ひとりで話しかけるよりも、むろん誰かに紹介してもらったほうが、スムーズに雑談が弾みやすいもの。そこで、話したい相手が知り合いと話しているときを見計らって、こう声をかければいいでしょう。そこから、会話に参加することができます。

□にぎわってますね。よろしかったら、少しお話しませんか？

パーティや宴席では、顔や名前は知っているものの、これまで二人では話したことがないという〝準初対面〟の人と出会うもの。そんな人に対しては「よろしかったら、少しお話しませんか？」と声をかけるといいでしょう。ただし、いささかの唐突感は否めないので、「にぎわってますね」、「あいにくの雨でしたが、盛会となったようですね」などと軽い言葉を添えてから会話に誘うのがベター。「私も一度お話したいと思っていたんですよ」などと返してくれる相手なら、こちらも大人の対応をしやすくなります。

3 相手に気持ちよく話してもらう「あいづち」の極意

時と場合に応じた「あいづち」で、相手の話を引き出そう!

「相手に9割話させる」には、上手なあいづちが不可欠。的確にあいづちを打てば、相手は気分よく話し続けてくれます。

そのあいづちに関して注意したい点は、相手と時と場合によって、ふさわしいあいづちがあること。友人相手なら「マジ?」、「ホントー?」といった〝タメ語型〟のあいづちを使えても、目上相手にはそうはいきません。あいづちにも〝敬語〟があるのです。

もうひとつ注意したいのは、否定的なあいづちを使わないこと。「ウソー」、「まさか」といった真偽を疑うようなあいづちを使うと、話し手の気分を害するリスクが高まります。「ほう!」、「驚きました!」のような肯定的なあいづちを心がけることです。

そして、あいづちには「ひと言」添えたいもの。たとえば、「ええ」のあとに「確かにそうですね」と加えるだけで、話し手をよりのせることができます。では、相手の話を引き出すさまざまなあいづちを紹介していきましょう。

聞き上手は、あいづちで〝軽い驚き〟を表現できる

□なるほど

「話の内容に大いに感心した」、「大いに学ぶところがあった」という気持ちを伝えたいときにふさわしいあいづち。大きくうなずきながら「なるほど〜！」とゆっくり言ったり、「なるほどっ！」と短く言ったり、テンポを変えるとワンパターンな印象を与えません。また、「なるほどなるほど」と、何度もうなずきながら言うと、話し手の意見に共鳴しているという印象を与えることができます。

□あらあら

相手の話に驚いて見せたいとき、いつも「それは驚きですね」、「びっくりしました」と連発すると、オーバーすぎて相手の話の腰を折りかねません。話の途中で軽く入れる場合、女性なら「あらあら」、男性なら「おやおや」ぐらいのほうが、会

話をスムーズに進められます。

□いやはや

相手の話に対し、驚きを表すときに使うあいづち。おもに男性が使い、「これは何とも」、「おやまあ」といった意味です。「いやはや、驚きましたね」、「いやはや、大変な事件ですな」など。あるいは「いやはや、面目ありません」という使い方もあります。

□それは、それは

自慢話に対して、ことさら驚いて見せたいときに用いるフレーズ。たとえば、相手がより面白がらせようと誇張して言っているとき、こちらも大げさにうなずきながら言うと、場をいっそう盛り上げることができます。

□ほう、知りませんでした

相手の博識ぶりを讃え、自尊心を満足させるあいづち。相手の話が「面白く、役に立つ」ことも表せます。この言葉のあと、「それで、どうなったんですか？」と、さらに突っ込んだ話を聞きたいという姿勢を見せれば、〝博識〟の相手はいっそう喜んでくれることでしょう。

□へえ、そうなんだ！

新しい発見をして、うれしい気持ちを伝えたいときに使えるあいづち。すると、話し手も、役立つ情報を提供できたことを喜び、さらに役立つ情報を話そうという気になります。ただ、イキイキした表情で言うことが大事で、つまらなそうな顔や暗いトーンで言うと、「へえ、そうなんだ？」と、相手の言葉を疑っているような印象を与えかねないので、ご注意のほど。

□それは存じませんでした

雑談中、意外な情報を聞いたときに使うといいあいづち。情報提供に対する感謝の気持ちを伝えられるので、相手も「話してよかった」という気持ちになるはず。上司や先輩に対して「知りませんでした」を使うと、生意気な態度と取られかねない場合、「それは存じませんでした」と敬意を含ませるのが、大人のマナー。

□いや、それは面白いですね

話し手が体験談や業界の裏話など、自分では面白いと思っている話をしているときに、ぴったりくるあいづち。単に「なるほど」、「そうですか」と言うのではなく、具体的に「面白いですね」と言うことで、話し手は「そうか、やはり面白いと思ってくれているな」と自信を抱き、いっそうノリよく話し続けてくれます。

思わず舌がなめらかになる「ほめ言葉」の効用

□すばらしい！

相手の発言の中でも、とくに感心した言葉に対して使うあいづち。目を大きく見開いて言うと、感心したという印象をより強く与えられます。ただし、多用すると、お追従《ついしょう》を言っているようにも聞こえてしまうので、ここぞというときにだけ、使うこと。

□すごいですね

相手が武勇伝を語っているときなど、自慢話をしているときに使うあいづち。自慢話を感心して聞いてくれる人は、語り手にとって最もうれしい存在。「すごいですね」を繰り返すだけで、相手はいくらでも話し続け、しかもこちらに好印象を持ってくれます。

□よくご存じですね

相手の自慢話を聞きつつ、相手への敬意を表すためのあいづち。「よくご存じですね。さすがです」、「さすが○○さん。目のつけどころが違いますねぇ」などと具体的にほめれば、相手により大きな満足を与えられるでしょう。

□うらやましいですねえ

人は、自慢話をするとき、単に話したいだけでなく、「うらやましがってほしい」

と思っているもの。そんな相手には、何よりうれしいのが、このあいづち。ただし、多用すると、卑屈な印象を与えたり、やっかんでいると思われかねないので、何度も使わないこと。

□さすがです

相手の話に感心しているとき、よく使うあいづちが「なるほど」。ただし、いつも「なるほど」では、適当に同意していると思われかねません。話の山場で「さすがです」を入れると、心から感心していることを伝えられます。

ストレートに話の続きを促すあいづち

□と、おっしゃいますと？

相手が言葉を濁したり、抽象的な言い方をしたときに、続けて使いたいフレーズ。たとえば、相手が「あちらも、いろいろとあるようですよ」などと、何か面倒が起きていそうな口ぶりのときに、「と、おっしゃいますと？」と応じれば、相手はより具体的に話しやすくなります。

□そんなことがあったんですか？

相手が興奮気味に話しているときに、使うといいあいづち。続いて「それは驚きですね」、「大変でしたね」などと、共感するセリフを加え、「それで、どうなさったんですか？」と水を向ければ、相手はさらに話しやすくなります。

□ほう、そういうものですか

上司や先輩などからうんちく話を聞かされたときに、使うと便利なあいづち。「いやあ、知りませんでした」というよりも、話題に関心を抱いている印象を与えるので、相手をより気持ちよく話させることができます。

□なるほど、それからどうなったのですか？

相手の苦労話や自慢話を聞くときに、ときおり使いたい質問。相手の話を興味深く聞いていても、黙っていると、その気持ちは相手に伝わりません。「なるほど」、「ほうっ」といった単純なあいづちに加えて、ときには「それからどうなったのですか？」と話の展開を促す言葉をはさむと、いかにも興味深く聞いているという姿勢を表せます。

□へえ、それってどういうものなのですか？

相手が自分の趣味や関心事について、話しはじめたときに使うといいあいづち。そういう話題を話すとき、相手はこちらが本当に興味を持ってくれるかどうか、不安に思っているもの。そんなとき、聞き手から積極的に、「もっと話を聞かせて」というサインを出すと、相手はそれだけで安心できると同時に、気分よく話し続けることができます。

□やはり、そうでしたか？

相手の発言に対し、「やはり」と返すのは、「自分もそう思っていた」という肯定を表すサインになります。ただし、連発すると、「自分は何でもわかっている」といった自己アピールにとられかねないので、使いすぎには注意。

□へえ、すごいですね。そんなことができるんですか？

仕事や趣味の話に対して、深く感心したことを表すあいづち。「自分の想像を超えた、すごいこと」、「さすが！」といった驚きの気持ちをストレートに伝えることができます。

□そんな面白い噂があるんですか？

自分にまつわる噂話や悪口が話題になったときは、こんなセリフでかわすのも一法。こちらが相手にしなければ、相手も噂話に惑わされる自分を多少は後ろめたく思って、深くは追及してこないもの。一方、自分に関する悪い噂に対して「違います！」、「誰が言ってるんですか？」などとムキになると、かえって疑惑を生じさせかねないので、余裕のある態度を見せることが大切です。

相手の〝幸運〟を受け止めて話の続きを促すコツ

□よかったですね

自慢話に対する定番のあいづち。相手が自慢げだったり、何度も聞かされた話だと、つい皮肉の一つも言いたくなるものですが、それでは相手から反感を買いかねません。内心は辟易していても、一緒に喜ぶ姿勢を見せるのが、大人の振る舞いというもの。

□それはようございましたね

相手が楽しかったという話を聞くときに使うといいあいづち。相手の気持ちに共感を示すことで、相手をよりいい気分にさせられます。なお、素っ気なく「それはようございましたね」というと、嫌味にも聞こえるので、要注意。ただし、「もうその話を終わらせてほしい」という合図には使えます。

□それは何よりです

子供が有名大学に受かった、良縁に恵まれたなど、身内の自慢話をする相手に使いたいあいづち。聞くほうにはどうでもいい話でも、話し手にとっては何よりもうれしい話。その気持ちを察して応じておくのが、大人の対応です。

「同感」の気持ちを言葉でスマートに伝える方法

□まったくです

相手の言うことに、深い同意を表したいときに使うあいづち。「まったく」には「完全に」という意味があるので、相手の話をすべて肯定しているという印象を与えられます。さらに深く同意したければ、「まったく、おっしゃるとおりです」、「まったく、ごもっともです」と言えばＯＫです。

□そう考えるのも当然だと思います

不満や愚痴を口にするとき、人はその人なりにどうすればいいか、解決法を考えていることがあります。その方法が多少おかしく思えても、まずは「そう考えるのも当然です」と肯定したいもの。本人なりに真剣に考えた結果なのですから、頭から否定するのは傷つけることになってしまいます。

□わかりますよ、その気持ちは

愚痴を聞くとき、話し手に非があると思っても、まずはこう言っておきたいフレーズ。話し手は、問題の解決法よりも、不満のはけ口を求めているのですから、その気持ちを察して、こう応じておけばOKです。

□そうでしょうとも

相手の意見に強く同意していることを表すときに使うあいづち。たとえば、相手が「これしかないんです」と言ったとき、「そうですね」と応じると、それほど強い同意には感じられません。「そうでしょうとも」のほうが力強く、相手に「この人はわかってくれている」と思わせることができます。

□なるほど。一理ありますね

相手の意見や提案に対し、とりあえず返しておくといいあいづち。その意見や提案に問題点があったとしても、頭から否定すると、相手は不快感を抱きます。「一理ある」という言い方なら、賛成しているわけではありませんが、否定しているわけでもないので、不快な気持ちを抱かせることなくやりすごせます。

「同情」の気持ちを言葉でスマートに伝える方法

□お察しします

仕事やプライベートの愚痴を聞かされたときの定番のあいづち。とりわけ、酒の席で、安易に「そのとおりです」、「わかります」と返すと、「お前に何がわかる」とからまれかねません。殊勝な顔つきで「ご苦労、お察しします」などと言っておくのが無難。

□それはさぞ、お困りでしたでしょう

悩みを相談されたとき、まず大事なのは相手の気持ちにそうこと。「それはさぞ、お困りでしたでしょう」と言えば、相手は「この人は味方だ」と思ってくれるはず。「この人になら話してもいい」と心を許すようになるので、より具体的な話を聞きやすくなります。

□ほう、それは大変でしたね

苦労話を聞くときは、相手の労をねぎらうと、相手は気分よく話を続けられるはず。「大変でしたね」と気の毒そうな顔で大きくうなずけば、相手は「この人はわかってくれている」と感じ、続きを話しやすくなるもの。

□がっかりですね

仕事がうまくいかなかったときなど、残念そうにしている相手に使うといいあいづち。物事が期待どおりに進まなかった話し手に対し、まずは「がっかりですね」、「残念でしたね」と相手の感情に同調します。そうすることで、話し手に理解者を得たという大きな満足感を味わってもらえます。

□ご苦労なさったんですね

苦労話を聞くときに、使うといいあいづち。苦労話には、本人なりの強い思い入れがあるもの。下手に同調すると、「あんたに何がわかる！」と思われることもありえます。また、下手に質問を重ねると、相手の触れてほしくないところに触れることにもなりかねません。ここは相手に同調しつつ、さらりと受け流すのが無難な対応です。

column

大人がインプットしたいひとつ上のあいづち一覧

あいづちのバリエーションが豊富であればあるほど、より適切なあいづちを繰り出して、相手の話を存分に引き出すことができます。以下のようなあいづちも、頭にインプットしておきましょう。

〔驚きを示すあいづち〕

「へえ」

「まあ、ほんとに？」

「あれ、違います？」

「あら、どうしましょう」

「大変なことですねよ」

「そんな人がいるんですか」

「そうですか、初めて聞きます」

〔ほめるためのあいづち〕

「すてきだこと」

「まあ、すばらしい」

「ほほう、すごいですねえ」

「立派だなあ」

「感心いたしました」

「信じられません」

「勉強になるなあ」

「よかったね！」

「楽しいなあ」

「ああ、うらやましいなあ」

「いいことを聞いたなあ」

〔同感・共感を示すあいづち〕

「うん!」

「だよね!」

「わかるよ!」

「そのとおりだね」

「おっしゃるとおりだと思いますよ」

「それは言えますね」

「そういうところありますね」

「ひどい話ですね」

「まさか」

「本当にようございましたね」

〔話の続きを促すあいづち〕

「それで、うまくいきましたか?」

「へえ。で、どうなりました?」

「そうでしたか。それで?」

「どうして、それが……?」

「ほう。なぜでしょうか?」

4

上手く「ほめる」と、誰でもすぐに話したくなる

ほめ言葉でうまくのせれば、人は9割話してくれる！

人には、誰しも「承認欲求」があり、ほめられたり、認められたりすると、気分がよくなります。むろん、そうなれば、言葉数が多くなります。だから、人をうまくほめて、のせれば、しぜんに9割話してくれるようになるのです。

たとえば、相手が何らかの事柄について、うんちくを傾けはじめたとしましょう。そんなときは、たとえ、その話をよく知っていても、「へぇ！　それは知りませんでした！」と知らないふりをして、相手をのせることです。

そして、「どうやって、そういうことをお知りになるんですか？」などと、ほめる言葉を繰り出せば、相手はより気分がよくなって、話し続けてくれることでしょう。

この章では、相手をうまく持ち上げ、上手にほめて、9割話させる会話術について紹介していきます。いろいろなフレーズを人間関係をより円滑にするために、お役立てください。

相手をほめながら話題が広がるキラーフレーズ

□どうすれば、そういうことを思いつくんですか？

人をほめるときは、ほめ言葉に質問をプラスすると、ほめ効果がアップします。たとえば、相手のアイデアをほめるときは、単に「いいアイデアですね」というよりも、「どうやったら、そういうことを思いつくんですか」と尋ねます。すると、常人ではとても浮かばないアイデアだとほめることになり、ほめ効果がアップします。

□よくご存じですね。どうやって調べられるんですか？

「よくご存じですね」や「何でもよくご存じですね」は、知識の豊かさをほめるためのフレーズ。ただし、嫌味に響くこともあるので、「どうやって調べられるんですか？」と質問フレーズを補いたいもの。こう尋ねれば、相手の情報力に対して感嘆する気持ちを表すことができます。

□そうした技術をどうやって身につけられたのですか？

技術力や腕前をほめるとき、ただただ「すごいですね」を連発するのは考えもの。「すごいですね。そうした技術、どうやって体得されたのですか？」のように、質問を加えましょう。むろん、高度な技術を身につけるには、努力や苦労が必要だったはず。そのことを賛嘆しながら質問すれば、相手は機嫌よく、いろいろと教えてくれることでしょう。

□どうすれば、あんなにお客の気持ちをつかめるんですか？

営業パーソンの能力をほめるときの尋ね方。相手のことをお客の気持ちをつかむプロと持ち上げながら、その奥義を尋ねることで、相手をほめあげることができます。相手は高い評価を受けたことで機嫌がよくなり、秘訣を明かしてくれるかも。

□長い間、仕事をなさっていると、大変なこともいろいろとおありだったでしょう？

相手からとっておきの体験談を聞き出したいときには、このフレーズを使うといいでしょう。人は、苦労したことを理解してもらうと、うれしくなるもの。貴重な体験談を話してくれるかもしれません。

□読書家ですね。月に何冊くらいお読みになるのですか？

本好きの人を持ち上げるとき、単に「読書家ですね」とほめても、インパクトがありません。「月に何冊くらいお読みになるんですか？」と具体的な質問をひと言プラスするだけで、読書量に感嘆する気持ちを表しやすいうえ、話が広がっていきます。

□売れているんじゃないですか？

得意先の商品をほめるときは、「売れてますね」というよりも、「売れているのではないですか？」と質問形にしたほうが効果的です。一般に、質問形でほめると、相手はその質問に答えることをきっかけにして、口が軽くなるもの。相手からいろいろな話を聞き出せ、得るところが大きくなるはず。

□部長のようになるには、どうしたらいいんですか？

上司、先輩にお世辞を使うときの定番フレーズ。「部長のように」という言葉は、その部長が高い力量を持つことを前提にしています。そんな部長のようになる方法を尋ねることで、尊敬心や憧れを表せます。お世辞とわかっていても、こう言われて悪い気がする人はいないはず。

□メモをとらせていただいてもよろしいですか？

参考になる話を聞き、メモをとりたいときは、ひと言断ってからメモをとるのが大人のマナー。その断りの言葉をほめるために使うこともできます。相手の話がそれほど面白くなくても、「メモをとらせていただいてもよろしいですか？」と尋ねるのです。すると、相手は、自分の話がメモをとりたくなるほどに評価されたと感じ、気分をよくすることでしょう。

□念願、かなわれたんじゃないですか？

大きな仕事をなし遂げた人をほめ讃えるとき、「お疲れ様でした」では物足りません。「念願、かなわれたんじゃないですか?」と尋ねれば、賛辞として十分なうえ、相手の苦労や心中まで察したフレーズになります。相手はうれしく思い、過去を振り返ってくれるはず。

□(そんなにうまいなんて)いつから英語をはじめられたんですか?

流暢な英語を耳にしたとき、「お上手ですね」、「うらやましいな」とほめるのは月並み。「いつから」と聞くことで、より具体的なほめ方になります。期間が短いときは、「そんな短期間で、ここまでできるなんてスゴいですね」と〝追撃〟し、長期にわたっていれば、「やはり継続は力ですね」と次のフレーズを繰り出せばOK。ゴルフ、俳句、絵など、相手が見かけによらない分野で、才能、技術を発揮したときは、このセリフで自慢話を引き出すといいでしょう。

□前人未踏と言っていいんじゃないでしょうか?

すばらしい出来ばえの仕事をほめるとき、「すごいですね」では月並み。「前人未踏」というオーバーな言葉を使って、「と言っていいんじゃないでしょうか?」と同意を求める質問形でほめると、ほめ効果が高まります。言われたほうは「それは言いすぎでしょう」と返しつつも、内心、鼻高々になるはず。

□手間を惜しまない仕事とは、こういうことなんですね？

丁寧な仕事をほめるとき、単に「丁寧ですね」というのは、ありきたり。「手間を惜しまない仕事とは、こういうことなんですね？」と持ち上げれば、相手は「いやいや」と否定しながらも、うれしく思うはず。前項同様、「最大級のほめ言葉＋同意を求める質問形」のパターンは、ほめ効果の高いフレーズになるので覚えておくと便利です。

□英語、お上手ですね。留学されていたんですか？

帰国子女や海外赴任経験者など、流暢な英語を話す人は珍しくありませんが、相手がそうではないときほど、このフレーズは効果的。「いやあ、駅前留学ですよ」と相手が返してくれれば、「ほう！　そうですか。てっきり……」とさらに驚いて見せれば、相手はさらに気をよくすることでしょう。

□精力的ですね。いったい、いつお眠りなのですか？

精力的に仕事をしている人を見ていると、いったいいつ寝ているのだろうかと思うもの。その疑問をそのまま言葉にするだけで、相手を持ち上げることができます。

□どうして、そんなに○○に詳しいんですか？

特定分野に詳しい人に対し、「詳しいですね」とほめるのは、あまりに当たり前。「どうして？」と驚きの気持ちを示すことで、「尋常じゃないほど詳しい」、「自分の想像を超えるほど詳しい」と讃えることができます。相手は「いやあ～」などと応じながらも、まんざらではない返事をしてくれるかも。

□○○にお強いですね。昔からですか？

相手の能力を持ち上げるフレーズ。たとえば、話の中にいろいろなデータをまじえる相手には「数字にお強いですね。昔からですか？」、外国の話をまじえる相手には「海外事情をよくご存じですね。赴任されていたんですか？」のように、くすぐることができます。

□どうすれば、こんな美味しい店にめぐりあえるんですか？

相手が連れていってくれた店を「いいお店ですね」とほめるのは大人社会の常識。ただし、何も言わないよりマシとはいえ、相手が「ええ」くらいしか返してこないで、話が広がらない場合もあるものです。そんなときは、この質問を繰り出せばいいでしょう。尋ねれば、口の重い相手も返答せざるをえないので、話が多少は広がるはず。

「部下」が自分から話したくなる〝くすぐり〟のコツ

□仕事が早いね。どうやってコツをつかんだの？

部下の仕事をほめるとき、「早くなったね」、「うまくなったね」と上達ぶりを指摘するだけでなく、「どうやってコツをつかんだの？」と付け加えると、努力や精進ぶりに気づいていることを伝えられます。部下は、自分の努力を評価してくれたことに、気分をよくすることでしょう。

□いいところに気づいたね。どうやって気づいたの？

部下の着眼力をほめるときは、「いいところに気づいたね」という定番フレーズに、「どうやって気づいたの？」という質問を付け加えるといいでしょう。着眼力を評価するとともに、「教えてほしい」という態度をとることで、部下をさらに喜ばせることができます。

□よくできているよ。ここまでにするには、相当時間がかかっただろう？

「よくできているよ」というのは、部下にとってはうれしいほめ言葉。ほめ効果をさらにアップするには、努力ぶりを尋ねる質問を加えるといいでしょう。部下は、上司が自分の仕事ぶりを理解してくれていることを知って、信頼感を高めてくれるはず。

□同期でトップじゃないの？

他社の入社数年目までの若手社員をほめるためのフレーズ。若手社員に「同期トップ」という言葉は心地よく響くもの。若手は「そんな、ビリのほうですよ」と言いながらも、内心鼻高々になるはず。

「こだわりのファッション」で話題を広げるには？

□すてきなネクタイですね

初対面の人に対しては、服装や持ち物をほめるといいでしょう。「そのネクタイ、柄がいいですね」、「背広の色と合ってますね」のように具体的にほめれば、真実味が増します。

□そのネクタイ、奥様のお見立てですか？

ネクタイは、男性のファッションをほめるとき、最もテーマにしやすいアイテム。

「そのネクタイ、いいですね」が定番フレーズですが、より手の込んだ聞き方が「そのネクタイ、奥様のお見立てですか？」。その人のセンスはもちろん、妻のセンスまでほめることができます。

□その服、すてきですね。青山あたりで買っていらっしゃるんですか？

相手のファッションをほめるときは、「すてきな服ですね」に「青山あたりで買っていらっしゃるんですか？」のような質問を加えると、相手の自尊心をさらにくすぐることができます。本当は安売り店で買っていそうでも、オシャレなイメージの青山で買ったのかと聞くことで、相手のセンスを持ち上げてみましょう。

□その服、オシャレですね。着こなしの秘訣を教えていただけませんか？

相手の服をほめたいとき、服自体よりも、着こなしの秘訣を問うと、普通の人ではできないとほめていることになり、相手のセンスや流行感覚を持ち上げることができます。

□その時計、○○製ですね

自分がこだわりを持つ点をほめられると、よりうれしく感じるもの。そして、相手はそのことに気づいてくれた人のことを「見る目がある人」、「趣味が合う人」と評価するようになります。

□私もそんな○○がほしいと思っていたんです。どちらでお求めですか？

持ち物をほめるときは「自分もほしい」というのが、定番パターン。そこに「どちらでお求めですか？」と質問を加えれば、機嫌よく話を広げてくれることでしょう。

□それ、レア物ですね。どうやって、手に入れたのですか？

「レア物」は、人の持ち物をほめるときの定番句。この言葉を使うときは、相手のフットワークのよさをほめるのも一法。「あちこち、探されたんでしょうね」のように、入手の困難さをテーマにすることで、掘り出し物を探し出した相手のフットワークのよさをほめることができます。

□その色、お似合いですね。お好きなんですか？

相手の服をほめるとき、ただ「似合ってますね」というより、色やデザインなど細部に注目してほめると、よりリアリティが出ます。続けて「お好きなんですか？」と言えば、単にほめただけでなく、相手に対する興味も伝えられます。

□すてきな○○ですね。ご自分で選んだのですか？

女性が男性の持ち物をほめるときは、〝誰が選んだのか〟という質問を付け加えてみましょう。「プレゼントですか？　その方、センスがいいんですね」のひと言で相手の妻や恋人を間接的にほめることができます。

「相手の髪形」をテーマに話題を広げるには？

□ヘアスタイルすてきですね。どこで切ってらっしゃるんですか？

オシャレな人ほど、美容院選びにこだわりを持っているもの。ヘアスタイルをほめるときは、単に「すてきですね」というよりも、美容院について尋ねると、相手のセンスをさらにほめ讃えるきっかけをつくれます。なお、ファッションの項の「青山」と同様、「表参道あたりで切ってらっしゃるんですか？」と〝地名〟利用のほめテクが使えます。

□〇〇さんの髪形、すてきですね。真似してもいいですか？

人から真似されると、誰しも自尊心をくすぐられるものです。その心理を逆手にとり、人をほめたあとは「それ、真似してもいいですか？」と付け加えるといいでしょう。

□ショートヘア、お似合いですね。昔から短いのですか？

髪形をほめたとき、「昔から？」と付け加えると、「その髪形はあなたの雰囲気によく馴染んでいる」という意味の間接表現になります。むろん、ロングヘアの人に対しても、同じように言ってＯＫです。

□**髪形を変えられたのですか？　すっかり若返られた感じですね**

女性同士の会話では、相手が髪形を変えたとき、そのことを話題にすると、話が弾みやすいもの。そのさいは、「髪形を変えられたのですか？」という質問に続けて、ほめ言葉を繰り出すのが得策です。「若返られた感じですね」、「華やいで見えます」のように、髪形に合わせて、言葉を続ければＯＫです。

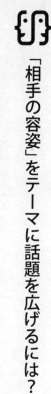

「相手の容姿」をテーマに話題を広げるには？

□**一段とスマートになられたのでは？**

体型をほめるとき、「スマートですね」は効果的なフレーズ。さらに「一段と」という言葉を加えると、ほめ効果が高まります。

□**いつお会いしても、若々しいですね。若さの秘訣を教えてくださいませんか？**

年配の人と打ち解けたいときは、若々しさをほめたいもの。「若さの秘訣を教えてくださいませんか？」と尋ねれば、相手は機嫌よく話してくれて、雑談のネタ探しに苦労することはなくなるでしょう。

□最近、ひときわおきれいになりましたね。何かいいことがあったのですか？

「きれいですね」は、ほめ言葉の常套句。それに、「何かいいことがあったのですか？」と付け加えると、「きれいになった」ことをさらに強調できます。その場合の「いいこと」は、異性関係を連想させるので、相手を「モテそう」、「幸せそう」と持ち上げることにつながります。

□背が高いですね。何かスポーツをされていたんですか？

「背が高い」だけでは、ヒョロヒョロしているといったイメージになりますが、「スポーツをされていたんですか？」と付け加えると、「痩せマッチョでカッコいい」というイメージが生じます。ただし、これは男性に限った話で、女性には背が高いことを気にしている人もいるので、「背が高い」ことを話題にするのは避けたほうが賢明です。

□どうすれば、〇〇さんみたいにスマートになれるんでしょう?

スマートな人は、それなりに努力しているもの。その努力のほどを話したいという欲求を持つ人もいるので、その点を質問するのも一法。もちろん、その質問の前提には「スマートですてきです」という称賛があるわけですが、そこは口にしなくても、この質問で十分に伝わります。

□その品は、どこからにじみ出てくるのでしょう?

品のよさをほめるとき、「品がよろしいですね」というと、皮肉のように聞こえてしまいます。「その品は、どこからにじみ出てくるのでしょう?」と尋ねる形にすると、嫌味なニュアンスが消え、ほめ効果が高くなります。品のいい相手は「いいえ」と否定しながらも、気分をよくするはずです。

□そのオーラは、どこからにじみ出ているのでしょう?

相手の存在感をほめたいとき、こう尋ねると、オーラや存在感に溢れているとほめることができます。言われた相手は恐縮しながらも、「私ってそんなにすごいかな」と内心、喜んでくれるはず。

□（芸能人の）○○に似ているって言われません？

顔が似ていなくても、目や口といったパーツ、話し方などが似ている場合でも、このフレーズが使えます。たいして似ていなくても、「すてきです」と相手をほめる意図は伝わります。もちろん、そのさいには、好感度の高い芸能人の名を挙げること。

□姿勢いいですね。ひょっとしてバレエをやってました？

容姿をほめるとき、姿勢は一つのほめどころになります。「姿勢いいですね」は意外に喜んでもらえるフレーズですが、「ひょっとしてバレエをやってました？」、「剣道の経験がおありなのかな？」のような質問を添えると、効果がさらに高まります。バレエや剣道の経験者は姿勢がいいという共通認識があるので、みんなが認めるほどの姿勢のよさだとほめることになります。

□課長、渋いですね。独身時代、モテたんじゃないですか？

男性の上司や先輩にお世辞を言うときは、「モテ」に目をつけるのも選択肢の一つになります。「独身時代、モテたんじゃないですか？」と聞けば、相手をカッコいいとほめたことになります。ただし、「独身時代は、モテたんじゃないですか？」は不興を買うことにもなりかねません。たった一字の違いですが、現在も魅力的であると言うには、「独身時代は」の「は」はよけいな一文字。

□お忙しいのに、爪の先まで決まってますね。どうやって時間を作っているんですか？

仕事のデキる女性に対して効果的な質問。単に爪の手入れをほめると、「チャラチャラした人」、「お金や時間に余裕のある人」と言っているようにも聞こえてしまいます。時間の作り方に焦点をあてて聞くことで、「仕事がデキるだけでなく、オシャレ心を失わない人」と、相手の能力と身だしなみの双方を評価する言葉になります。

「料理の腕前」をテーマに話題を広げるには？

□どうすれば、こういう味を出せるんですか？

料理をほめるとき、「美味しいですね」を繰り返すだけでは、しだいにほめ効果が薄れていくもの。ひねりを加えるテクニックの一つが「どうすれば、こういう味が出せるんですか？」という質問です。他の人には出せない味と評価していることを前提とする質問なので、相手に気分よく話してもらえるはず。

□あとでレシピを教えてもらえませんか？

手料理の味をほめたいときは、レシピを尋ねてみるといいでしょう。「レシピを聞かずにはいられないほど、美味しかった」と言っていることになり、相手を持ち上げることができます。

□こんなに柔らかく煮込むには、コツがあるんですか？

煮物料理をほめるときは、「柔らかさ」をほめるのがセオリー。豚の角煮にしろ、蛸や大根の煮物にしろ、調理する人はいかに柔らかく煮込むかに腐心しているもの。だからこそ、「柔らかく」という形容詞が効き、そのうえで「コツがあるんですか」と質問すれば、相手は機嫌よく話してくれることでしょう。

□このカレー、美味しいですね。隠し味は何ですか？

料理をほめるときは、「隠し味」もキーワードになります。とりわけ、カレーをほめるときは、この言葉が効きます。市販のルーを使う場合でも、そこにスパイスや生姜、ヨーグルト、果物、コーヒーなど、いろいろなモノを入れて、その人独自の味に仕立てていることが多いので、その隠し味について聞けば、「よくぞ聞いてくれた」と喜ばれるものです。

□すごいうまみですね。だしは何でとられたのですか？

椀物をほめるときは「だし」が目のつけどころになります。「だしは何でとられたのですか？」と聞くと、うまみを存分に感じさせる味とほめたことになります。とくに、玄人はだしの人の料理に効果的なセリフです。

□この野菜、旬のものですか？

野菜を使った料理には「旬」という言葉がキーワードになります。旬かどうかわからなくても、「旬のものなのですか？」と尋ねればＯＫ。かりに旬のものでなくても、旬のものを思わせるほど美味しいという感想を伝えることができます。

□美味しい魚ですね。どこか名産地のものなのですか？

魚料理に自信のある人は、魚の産地にこだわっていることが多いので、美味しいと思ったときには、こう尋ねるといいでしょう。かりに名産地産でなくても、名産地の魚並みに美味しいという感想を伝えられます。

□美味しい漬け物ですね。自家製ですか？

美味しい漬け物を口にしたときは、「自家製なのですか？」と尋ねるといいでしょう。いまは市販品ですませる家庭が増えているので、自家製であること自体に大きな価値があります。たとえ自家製でなくとも、文字どおり手塩にかけた自家製と思えるほど、美味しいとほめたことになります。

「お酒」をテーマに話題を広げるには？

□美味しいお酒ですね。銘柄をぜひ教えてくださいませんか？

お酒の味をほめたいときは、「銘柄を教えてください」と尋ねるといいでしょう。「銘柄を知りたいほどに美味しかった」という感想とともに、その酒を出した人やお店のセンスのよさをほめることができます。

□深みのあるウイスキーですね。もしかしたら、年代物ですか？

訪れた家でウイスキーをいただいたときには、「もしかしたら、年代物なのですか？」と尋ねるといいでしょう。年代物でなくとも、こう聞けば、年代物に劣らないウイスキーとほめたことになります。

□美味しいワインですね。もしかしたら、フランスの名産地産ですか？

ワイン通の人には、産地にこだわっている人が多いものです。教えを請いたいという気持ちを込めて、「フランスの名産地のものですか？」と尋ねれば、相手は機嫌よく、うんちくを披露してくれるはず。

「スポーツの腕前」をテーマに話題を広げるには？

□ゴルフ部のご出身ですか？

ゴルフの腕前をほめるとき、単に「お上手ですね」と言うよりも、「ゴルフ部ご出身ですか？」と聞くと、相手をさらに持ち上げることができます。ゴルフ部の出身を思わせるくらい上手だと言っているわけで、ほめ効果が高くなります。ただし、相手が１００を切る程度の腕前の場合には、ややほめすぎで、90を切るくらいの腕前の相手に合ったフレーズです。

□学生時代、リレーのアンカーくらいやってたんでしょ?

スポーツマンタイプの人に対しては、〝過去〟を話題にする方法もあります。「学生時代、リレーのアンカーくらいやってたんでしょ?」、「もしかしたら、体育はいつも5でしたか?」などと尋ねれば、「昔から運動神経がよかったように見える」と、ほめたことになります。

□ハードな練習を多く積まれたのでしょう?

スポーツの腕前をほめるときは、その結果を讃えるだけでなく、努力ぶりに注目する方法もあります。現実にハードな練習を積んできたかどうかは知らなくても、「ハードな練習を多く積まれたのでしょう?」と聞けば、相手の技量を認めたことになります。

人柄を持ち上げると、気持ちよく会話が進む

□人気者でしょう？

人望のある人に対しては「人気者ですね」とほめてもOKですが、より巧みな言い回しは「人気者でしょう？」。「人気者でしょう？」と確認をとる形にしたほうが、人気があって当然という感想を伝えられ、相手の人柄のよさを強調した表現になります。

□○○さんでもっているんじゃないですか？

得意先の実力社員をほめるフレーズ。「（御社は）○○さんでもっているんじゃないですか？」といえば、「あなたが会社を支えている」と、その人の働きぶりを評価する気持ちを伝えられます。

□みんなから、そう言われませんか？

相手の長所をほめるとき、効果のあるひと言。たとえば、「○○さんには何でも話したくなるんですよね。みんなから、そう言われませんか？」といえば、「そう思っているのは、私だけでなく、多くの人もそう思っています」という評価を伝えることができます。

□○○さんといると、楽しくなるって言われません？

これも、大勢の意見にすることで、ほめ言葉の効果を増すパターン。単に「○○さんって面白い人ですね」、「一緒にいると楽しくなります」というよりも、「みんながそう思っているほど楽しい」と、表現を強調することができます。

□お知り合いが多いですね。どうやって人脈を築いてこられたのですか？

幅広い人脈を持つ人をほめるときは、「どうやって人脈を築いてこられたのですか？」と尋ねると、相手は自慢話をしやすくなります。過去を振り返りながら話すうち、相手は気分がよくなって、人脈づくりのノウハウまで明かしてくれるかもしれません。

□**（温厚そうな人に）○○さんでも怒ったりすることあるんですか？**

いつもニコニコしていて、周囲を和ませるタイプ向けの質問。「○○さんでも怒ったりすることあるんですか？」というのは、一見、不躾なようですが、相手の人柄に関して質問することで「あなたに興味を持っています」という、こちらの気持ちを伝えられるはず。

ほめながら相手の話を引き出す聞き方

□**毎日、お早いご出社ですね。○○さんは朝型ですか？**

毎朝早く出社する人は、心ひそかな自負心を抱いているはず。「朝に強いんですか？」といった話からはじめ、「早起きの秘訣は？」、「やはり朝早く出社すると、仕事がはかどるものですか？」と、相手を「できる人」と見立てた質問を続ければいいでしょう。

□机のまわりがいつもキレイですね。片づけのコツは何ですか?

片づけ上手な人は、ほめられ慣れていることが多いので、こんな質問を加えてみるといいでしょう。さらに数日後、「先日、整理のコツをうかがったおかげで、私の机まわりがきれいになりました」とでも報告すれば、相手をさらに喜ばせることができます。

□いつも返信が早くて助かります。秘訣は何ですか?

メールでの問い合わせに対し、すばやくレスポンスしてくる相手への質問。仕事において、レスポンスの早さは重要。その秘訣を尋ねることで、「自分も見習いたいほど、仕事のできる人」という評価を伝えられます。

□流行に敏感な○○さんのことですから、△△にはもう行かれましたか?

感度のいい人とつきあっておくと、何かと新しい情報を得やすくなるもの。そんな人に話題の店やイベントについて尋ねるときは、こんな言い方をしてもいいでしょう。「流行に敏感な○○さん」と見込んで聞くことで、相手の情報感度を高く評価していることを伝えられます。

□**○○さんの声、すてきですね。カラオケではどんな歌を歌うんですか？**

ルックスやファッションをほめにくい人でも、声ならほめられるかもしれません。「低音の響きがいいですね」などと具体的に言うと説得力が増します。

□**わぁ、すてき！　これ、見つけるの大変だったでしょう？**

親しい人からレア物をプレゼントされたときは、「わぁ、すてき！」、「うれしい！」と感動を表すのが大人の礼儀。そこに「これを見つけるの大変だったでしょう？」と、相手の労をねぎらう質問を加えると、感謝の気持ちをより深く伝えられます。

□**すてきな部屋ですね。いつも、ここで会議をなさっているのですか？**

他社のオフィスを初めて訪れたときは、オフィス内の何かをとりあげてほめたいもの。たとえば、いい部屋に通されたときは、その部屋のことをほめたあと、こんな質問をするといいでしょう。相手は悪い気はしないはずなので、雑談をふくらませるきっかけになるはず。

□いいクルマですね。最近発売されたものですか？

知人のクルマをほめるときは、単に「カッコいいですね」でもＯＫですが、新しさに着目するフレーズもあります。クルマ好きには新車好きが少なくないので、「最近出たものですか？」と質問すると、相手の自尊心をくすぐることができます。

5

大人の「社交辞令」は、いい関係のはじまり

相手に話させるため、大人の「社交辞令」を頭に入れておこう！

大人社会で、人づきあいを円滑に進めるためには、さまざまな「社交辞令」が必要です。「社交辞令」を辞書でひくと、「社交上の応対の言葉」、「つきあいのうえでのほめ言葉」といった意味が出てきます。より積極的に定義すれば、「大人社会で、人間関係を円滑に進めるための言葉」といえるでしょう。

たとえば、古い知り合いと久しぶりに出会ったときには、多少老けていても、「いつまでもお変わりありませんね」と声をかけるのが、大人の礼儀。

あるいは、社内の異動でポストが変わった人に対しては、たとえそれが左遷であっても、「ますます忙しくなりますね」のように声をかけるのが、大人の社交辞令です。

世の中、正直に生きることは大切ですが、いつも本音を言っていると、相手を傷つけることにもなってしまうのです。

これからご紹介する社交辞令を駆使して、相手の気分をよくすれば、むろん相手によく話してもらうことにもつながっていきます。

大人がおさえたい基本の「社交辞令」です

□みなさん、お変わりございませんか

久々に会った友人や、同僚、取引先らに対して使うといいひと言。「みなさん」と相手だけでなく、周囲の人まで気遣うことで、相手を喜ばせるとともに、次の話題へのきっかけづくりにもなります。「○○さんは、いかがですか」などと名前を挙げれば、相手はより会話の糸口がつかみやすくなることでしょう。

□いつまでもお変わりありませんね

久々に会った目上の人に使うといいひと言。「お元気ですか」という質問形だと、「いえ、じつは……」と体調に関する愚痴につながるかもしれません。そこで、たとえ、以前より老けたと思っても、「変わらない」と伝えるのが、目上の人に対するマナーです。

□その後いかがですか

久々に会う取引先や、さほど親しくない知人に使えるひと言。抽象的な聞き方なので、相手もあまり語ることがなければ、「まあ、ぼちぼちやってます」のようにあいまいに答えられますし、言いたいことがあれば「じつは、こんなことがありまして」のように具体的な話ができます。相手にとって都合のよい聞き方といえます。

□どうですか、最近？

あまり親しくない相手に対して、とりあえず使っておくといいひと言。相手の趣味や嗜好、近況を知らない場合、話の糸口がつかみにくいものです。この聞き方なら、相手に下駄を預け、自由に好きな話題を選んでもらえます。ただし、相手が自分にとって興味のない話をしはじめても、関心のあるそぶりを見せるのが礼儀です。

□最近、お仕事のほうはいかがですか

あまり親しくない親戚や近所の人と話をするとき、共通の話題が見つからないこと

があるもの。そんなとき、場もたせするのに便利なフレーズ。漠然とした聞き方なので、相手はいいたくなければ適当に答えるでしょうし、話したければ具体的な内容を話すことでしょう。

□これからますます忙しくなりますね

栄転や昇進が決まった相手に使うといいほめ言葉。「忙しい」には、「必要とされている」、「重職にある」という意味が含まれ、相手の出世ぶりを讃えることができます。

とにかく相手に話してもらえる社交辞令

□あれ、いいことがあったんですか？

ニコニコしている人には、こう話しかけてみるといいでしょう。多くの場合、「いやいや、とくには」というような答えが返ってくるでしょうが、ポジティブな言葉をかけられて悪い気がする人はいないはず。なかには「わかります？　そうなんですよ」と、その質問、待ってましたとばかりに、楽しく話を披露してくれる人もいることでしょう。

□ホッとなさったんじゃないですか？

知人から子供が結婚したという話を聞いたときは、「よかったですね」と応じるのが言葉のルール。続いて「ホッとなさったんじゃないですか？」という質問を添えると、話が広がっていきます。相手は「ようやく片づいてくれました」などと、結婚までの経緯や苦労話を話してくれることでしょう。

□昨夜はよく眠れましたか？

社員旅行などで一緒に旅している人と、朝出会ったときなどに使える定番の挨拶。「昨夜はよく眠れましたか？」、「夜遅く、雷の音がしましたが、気づきました？」などと、昨晩の睡眠に関わる質問をすることによって、朝の雑談を楽しく広げることができます。

□私などでよろしいですか？

大切な仕事を頼まれたとき、「わかりました。お引き受けいたします」と即答すると、先方の意向にそっているにもかかわらず、どこか傲慢な印象を与えてしまうもの。そこで、引き受ける前に、まずは「私などでよろしいですか？」と尋ねて、謙虚さを表すのが大人のモノの言い方です。

□私ごときでは足手まといではないでしょうか？

重要なプロジェクトの一員に招かれたときも、前項と同様、即答する前にひと言、質問しておきたいもの。「私ごときは、足手まといではないでしょうか？」と尋ねると、謙虚な姿勢を表すことができます。とりわけ、キャリアの浅い社員が抜擢されたときなどに使いたい言葉です。

□こんなことでお役に立ちましたでしょうか？

相手から依頼されたことをすませたときは、「これでよろしいでしょうか？」と尋ねるのが、一般的な確認の言葉。そこに謙虚さを加えたいときには、「こんなことで、お役に立ちましたでしょうか？」と尋ねればＯＫ。

□どうでしたか？　気になっていたものですから

人から頼まれて、何らかの世話をしたあとは、何も尋ねないのも気がかりですが、かといってこちらから尋ねると、恩に着せているような印象を与えないかと気になるもの。そんなときは「どうでしたか？」と尋ねたあと、ひと言フォローするといいでしょう。「気になっていたものですから」と添えれば、相手を気遣う言葉になり、恩に着せているとは思われにくくなります。

□いい店ですね。よく来られるんですか？

上司や目上にごちそうになるときは、前述のように「いい店ですね」と、まず招待された店をほめるのがお約束。続いて「よく来られるんですか？」と尋ねれば、上司は何かと自慢をしやすくなります。グルメの上司なら、店の料理について語りはじめるはずで、当面、話題に困ることはないでしょう。

久しぶりに知人と出会ったとき、まず聞くべきこと

□お元気でしたか？

知人としばらくぶりに会ったときは、「お元気ですか？」と声をかけるもの。会わなかった期間がかなり長かった場合には、過去形にして「お元気でしたか？」とすると、より適切な言葉になります。

□お変わりございませんか？

「お元気でしたか？」をやや格調高くした表現。「みなさん、お変わりございませんか？」と尋ねれば、相手の家族や会社の同僚など全体の様子を聞くことになります。

□懐かしいなあ、元気にしてました？

「お元気でしたか？」をカジュアルにすると、「元気にしてました？」。もともとは

親しい間柄なら、こちらのほうが親近感を伝えやすいもの。「懐かしいなあ」といった言葉を添えると、さらにｇｏｏｄです。

□いかがお過ごしでしたか？

「いかがお過ごしでしょうか？」は手紙の文面でよく使う言葉ですが、ふだんの会話では「いかがお過ごしでしたか？」と過去形になります。敬意を含んでいるので、目上や重要な相手に対しても使える聞き方です。

□近頃、どんなご様子ですか？

「近頃」と期間を限定することで、相手は近況について答えやすくなります。

□近頃、何かいいことがありました？

久しぶりに会った知人が機嫌よさそうにしていたら、「何かいいことがありました？」という質問を使えます。本当にいいことがあれば、つい話したくなるもので、その呼び水になります。さしていいことがなかったとしても、こう質問されて悪い気がする人はいないでしょう。

□ピアノ、まだ続けていらっしゃるんですか？

久々に会った知人と会話を盛り上げたいときには、その人の趣味の様子について聞くのは無難な質問。たとえば、ピアノを習っていた人には「ピアノ、まだ続けていらっしゃるんですか？」と尋ね、「ええ、まだ続けているんですよ」と返ってくればば、ピアノを話題にすればいいですし、「ピアノはもうやってなくて、いまはダンスをやってます」と返ってくれば、「ほう、ダンスですか」と受けて、そちらを話題にすればＯＫです。

□私、わかりますか？

何十年ぶりに出会った人に声をかけるときのフレーズ。続けて「ほら、小学校のとき、机が隣りだった」、「入社したての頃、指導していただきました」などとヒントを口にすれば、相手は思い出しやすくなります。

□いったい、いつ以来になるかしら？

久しぶりに出会った知人と交わす常套句。こう尋ねると、互いに最後に会ったのがいつだったかを思い出すことになります。「たしか、十年前に大阪のホテルで」、「いやいや、七、八年前に○○さんの葬式で、お目にかかりませんでしたっけ？」などと、話を続けられます。

訪ねてきた人が自分から話したくなるひと言

□道中、雨は大丈夫でしたか？

足を運んでくれた人には、ねぎらいの言葉をかけるのが大人のマナー。雨が降っているときに限らず、降ったあとや、いまから降りそうな空模様の場合にも、雨がらみで尋ねたいもの。「途中、降られませんでしたか？」、「途中、どしゃ降りだったんじゃないですか？」など、いろいろな質問で労をねぎらうことができます。

□外は暑くて大変だったでしょう？

季節ネタは、挨拶代わりに無難に使える質問ですが、訪問客への社交辞令は、季節によって使い分けが必要。夏なら暑さ、冬なら寒さをネタにすればOKです。「今日は、この夏一番の暑さかもしれませんね？」、「風、冷たかったでしょう？」のように。

□道は混んでいませんでしたか？

これも、訪問客に対する定番フレーズ。「途中、混んでいませんでしたか？」、「渋滞にあいませんでしたか？」などと尋ねればいいでしょう。相手が「いやあ、参りました」と応じてくれれば、その労をねぎらいながら、話を広げていけばOKです。

訪問客を送り出すときの社交辞令

□お時間、大丈夫ですか？

これは、そろそろ話を切り上げたいときの催促。「次の用事がありまして」などと切り出せば、相手はせきたてられたようで、ムっとするかもしれません。そこで、「お時間、大丈夫ですか？」と尋ねる形にすれば、相手の都合を気遣ったことになるので、せきたてているという印象を薄めることができます。

□お忘れ物はございませんか？

訪問客に対しては、送り出すときにも、いくつかの質問で気遣いを表せます。訪問客の忘れ物がないことは、すでにチェックしていても、あえてこう尋ねることに意味があります。こう尋ねれば、訪問客のことを最後まで気遣っていることをさりげなく伝えられます。

□傘はお持ちですか？

訪問客を見送るとき、雨が降りはじめた、あるいは雨が降りそうな気配のときは、傘の心配をしたいもの。「傘はお持ちですか？」と尋ねれば、傘の用意のない訪問客は助かったと思うでしょうし、訪問客が折り畳み傘を用意している場合でも、こちらの気遣いをうれしく思うはず。

□また、話相手になってくださいませんか？

自宅への訪問客を見送るときは、「また、いらしてください」と言うのがお約束ですが、ときにはこのような変化をつけてもいいでしょう。「また、話相手になってくださいませんか？」と頼む形をとることで、相手を頼りにしているという気持ちを伝えられます。相手は必要とされていると感じて、より親しみを抱いてくれることでしょう。

訪問先から帰るときの社交辞令

□今日は、大勢で押しかけまして、ご迷惑ではなかったでしょうか？

大勢で訪問した知人の家を辞去するときは、「今日はありがとうございました」の次にひと言、こう尋ねたいもの。「ご迷惑ではありませんでしたか？」と尋ねることで、お邪魔して申し訳なかったという気持ちと感謝を伝えられます。

□また、おうかがいしてもよろしいですか？
訪問先から退出するとき、相手を喜ばせる尋ね方。「また、おうかがいさせてください」でもＯＫですが、「また、おうかがいしてもよろしいですか？」と尋ねる形にしたほうが謙虚に聞こえます。相手は、たいていの場合、「もちろん。またおいでください」と応じてくれるでしょうから、次の機会にもつながっていくはず。

道でばったり会った人と会話を続けるには？

□お出かけですか？
近所の人など、午前中、道で出会った知り合いには、「こんにちは」だけでなく、もうひと言「お出かけですか？」と声をかけると、より和やかな雰囲気を演出できます。相手は、「ちょっと、そこまで買い物に」などと、笑顔で返してくれることでしょう。

□今日はお早いですね。お散歩ですか？

早朝、普段着姿の知り合いと道端ですれ違ったとき、「お出かけですか？」は、ちょっとピントのはずれた質問。相手の服装に合わせて「お散歩ですか？」のほうが、場面に合った質問になります。

□毎朝、この電車ですか？

通勤電車内や駅で知人と出会ったとき、「おはようございます」だけでは、やや愛想に欠けるというもの。加えて「毎朝、この電車ですか？」と尋ねれば、相手もひと言かふた言返すことになり、朝から気詰まりな思いをすることはありません。

□いつも、この時間ですか？

朝夕の通勤時間帯に、電車内や駅で知り合いに出会ったときは、挨拶のあと、こんな尋ね方をするといいでしょう。こう声をかければ、「いや、今日はいつもより早く終わったので」、「この時間に帰れば、家内の機嫌がいいですね」などという、ほどよい雑談につながりやすいもの。

□お買い物ですか？

商店街やスーパー、ショッピングセンターで知り合いと出会ったとき、「こんにちは」に続くのは「お買い物ですか？」という質問。わかりきっていることながらも、こういう質問と多少の受け答えを重ねることが、人間関係の潤滑油になります。

□今日は家族サービスですか？

家族で出かけようとしている知り合いにばったり会ったときには、こんな社交辞令も有効。「今日は家族サービスですか？」と尋ねれば、相手が公私ともに充実している人と、ほめた印象を与えることもできます。

□みなさん、お揃いでお出かけですか？

夫婦連れ、子供連れの知り合いに出会ったとき、単に「お出かけですか？」と聞くと、知人だけへの問いかけになり、家族を相手にしていないような、やや愛想に欠ける質問になってしまいます。そこで、「みなさん、お揃いでお出かけですか？」

と問えば、家族全体への問いかけになり、より目配りの行き届いた社交辞令になります。

□ご精が出ますね？

庭掃除や洗車にいそしむ知人を見かけたときは、「こんにちは」に続いて、こんなひと言をかけたいもの。こう尋ねれば、相手を勤勉な人と持ち上げたことになり、相手は照れながらも悪い気はしないはず。

□お帰りですか？

道端での「お出かけですか？」は、おもに午前中用の言葉。夕方以降は「お帰りですか？」と尋ねたいところ。ただし、相手が駅の方向に向かっているようであれば、夕方でも「お出かけですか？」、相手が自宅方向に向かっているのなら、昼間でも「お帰りですか？」がふさわしいフレーズです。

□遅くまで大変ですね

夜遅く帰宅中の知人と出会ったときは、「こんばんは」に続けて「遅くまで大変ですね」とひと言添えるのが、気遣いを表す定番フレーズ。遅くまで働いてきた相手をねぎらう気持ちを込められます。

□これは、ご機嫌ですね

飲み会、宴会帰りの人は、足取りや雰囲気で、そうと見当がつくもの。夜、出会った知り合いが酔っているようであれば、「これは、ご機嫌ですね？」と尋ねるのが、大人の社交辞令。相手は「少し飲みすぎましてね」などといいながら、自宅への道を千鳥足で歩いていくことでしょう。

□このあたりには、よくいらっしゃるんですか？

街の盛り場などで、先輩や上司にバッタリ出会ったとき、無視するのはNG。挨拶して、ひと言かふた言は交わしたいものです。そんなとき、「このあたりには、よくいらっしゃるんですか？」は無難な質問。長話をする場面ではないので、相手は

「いや、たまたまブラッとだよ」などとボカして答えるでしょうから、適当に言葉を交わして別れればいいでしょう。

相手の「体調」を気遣う質問ができますか

□お疲れでしょう？

残業が続いている人や遠方からのお客に対しては、こうねぎらいのひと言をかけたいもの。一方、相手が本当に疲れているときには、単に「お疲れでしょう？」というのは、いささか気遣いのレベルが低く聞こえます。「だいぶお疲れのようですね？」が、相手の体調をより気遣う尋ね方で適切です。

□大丈夫ですか？

相手の顔色が悪いときや相手がつまずいたりしたときには、気遣いの言葉が必要。「大丈夫ですか？」は、その基本語。さまざまな場面で使える尋ね方であり、相手も答えやすい質問といえます。

□○○君、今日は遅いようだけれど、何かあったの？

ふだんは真面目な人が時間に遅れているときは、こんな言葉で、気遣っていることを周囲に表すことができます。「○○君、今日は遅いけど何かあったの？」と周囲に尋ねれば、たとえ事情を知る人がいなくても、自分が気遣っていることを周囲に伝えることができます。

□最近、お見かけしませんが？

以前は、よく顔を合わせていた人の姿をしばらく見かけないときの質問。「○○さんを最近、お見かけしませんが？」と周囲に尋ねれば、答えを得られるかもしれませんし、その気遣いが周囲から当人に伝わるということもあります。

相手の「病気」を気遣う質問ができますか

□お体のかげんはいかがですか？

病状を気遣うときの定番的な尋ね方。「かげん」の代わりに「具合」を使って、「お体の具合はいかがですか？」と尋ねてもＯＫです。また、相手が病気になってすぐにお見舞いに行ったときには、「いかがなさいました？」という尋ね方もあります。

□ご入院なさったそうですね。もうすっかりいいんですか？

知り合いが入院していたことを退院後に知ったときには、こう尋ねるといいでしょう。なお、「ご病気なさったそうですね」という聞き方はＮＧ。もう病気は治ったのだから、「病気」という言葉を使わずに質問したほうが、きれいな日本語になります。

□不自由なさってるんじゃないですか？

治療を受けて退院はしたが、その後、自宅で療養生活を送っている人へのひと言。退院したとはいえ、本復したとはいえない場合や、後遺症に苦しむケースもあります。以前と比べると、自由にならないことがある――そんな人への気遣いを表す質問です。

□奥様のご様子、その後、いかがですか？

知人の家族の病気やケガを気遣うときのフレーズ。この場合も、「奥様のご病気、その後、いかがですか？」と尋ねるのではなく、「奥様のご様子、その後、いかがですか？」と尋ねたほうがベター。

□それで、ケガの程度はどうなのですか？

知り合いが事故に遭ったという知らせを聞いたときは、まずはケガの程度を聞くのが、大人の常識。その場合、「それで、ケガしたのですか？」は、いささか薄情な印象を与える聞き方。「それで、ケガの程度はどうなのですか？」と尋ねることで、心配している気持ちを表せます。

6
仕事で結果を出せる人は話しやすい！　話して楽しい！

仕事の相手に話させるコツとは？

仕事は、人と人が行うもの。昨今、リモート化やデジタル化が進んでいるとはいえ、まだまだ、担当者と気が合うかどうかが、仕事を円滑に進めるうえでの大きなファクターとなるものです。

むろん、「人に気持ちよく話してもらう力」は、仕事にも大いに役に立ちます。たとえば、商談を進めるとき、「早速ですが、御見積を用意してまいりました」のように、いきなり本題に入るよりも、2〜3分間の前置き的な雑談で、場の空気を温め、相手にうまく話させるのが、できるビジネスパーソンに必要な条件といえるでしょう。

また、上司や部下との関係でも、相手にうまく話させる力は、人間関係を円滑にするうえで大いに役立ちます。

では、どうすれば、仕事関係の相手にうまく話させることができるか。それに役立つフレーズを紹介していきましょう。

「仕事」の話を引き出すときの〝決め手〟のひと言

□先方の手応えはいかがでしたか？

上司や先輩に、商談の進み具合を聞くとき、「うまくいきましたか？」はストレートすぎる質問。「手応え」という言葉を使うと、大人らしい質問になります。こう聞けば、期待したほどうまくいかなかったときでも、相手は「手応えは悪くないんだが」などと、ネガティブな言葉を使わずに返事できます。

□話はうまくいきましたか？

商談がうまくいっていることをあらかじめ知っているときに使うフレーズ。「うまくいったそうですね」と言わず、少々とぼけるところがポイントです。「うまくいったよ」というセリフを上司や先輩に言わせてあげることで、相手の気分や職場の雰囲気を盛り上げることができます。

□その後、どうなったんですか？

こちらは、商談がうまくいかなかったことをすでに知っているときに使うセリフ。「ダメだったんでしょう？」と聞くと、とがめているようなニュアンスを伴うため、結果を知っていても、あえて「どうなったんですか？」と尋ねるというわけです。

□そういえば、○○についてご存じですか？

話題を変えたいときには、「そういえば」がよく使われます。「そういえば、○○についてご存じですか？」と尋ねると、新しい話題に転換できます。また、話が行き詰まったとき、話がまずい方向に流れそうなときにも、「そういえば」は効果を発揮する言葉です。

□調子は、どうですか？

親しい間柄や後輩には「調子はどう？」と尋ねてもOK。挨拶代わりの言葉ですが、単なる挨拶にとどまらず、「気にかけているよ」という気持ちを伝えることができます。

部下の話を引き出したいときの質問

□仕事には慣れた？

新入社員や若手社員、部署が変わった後輩などにかける言葉。たまたま顔を合わせたとき、フランクにこう尋ねると、単なる挨拶よりも、気にかけていることを伝えられます。相手が「慣れた」と答えても、「まだ慣れなくて」と返事しても、笑顔で「頑張れよ」と応じればＯＫです。

□どう、困ったことはない？

部下や後輩にかける気遣いの言葉。相手の状態を心配していることを伝えられます。相手が「大丈夫です」と答えれば、笑顔で「そう」と返し、「じつは、あります」と言ったときは「相談に乗るよ」と応じればＯＫ。

□キミの意見を聞かせてくれないか？

若い人も、意見を言わなければ、しだいにストレスをためていきます。そこで、若い部下や後輩に対しては、ときおり「意見を聞かせてくれないか？」と尋ねてみるといいでしょう。意見を聞くという態度を見せることで、彼らの気持ちを大事にしているという姿勢を表せます。

□力になれることはあるかい？

落ち込んだ様子の部下や後輩にかけるフレーズ。呼び出して相談に乗ると言うと、ストレートすぎて相手のほうが引くでしょう。「できることがあれば、力になるよ」程度のニュアンスで尋ねるのが、いまどきの部下や後輩にはほどよいはず。

□大変そうだね。どこが問題なんだ？

仕事で大忙しの後輩や部下を気遣うフレーズ。「大変そうだね」と声をかけるだけでもＯＫですが、「どこが問題なんだ？」と尋ねることで、より具体的な相談に乗ることができます。

□××になっているけど、何かあったの？

日報や報告書に、いつもとは違う点を見つけたときは、こう声をかけておくといいでしょう。タイミングよく声をかければ、文書では報告されていないことが明らかになるかもしれません。

□私は○○と思うけど、違うかな？

いまどきの部下や後輩に、アドバイスを送るときには、こんな言い方をしたほうがいいでしょう。最近の若者に「こうしろ」と頭ごなしに忠告すると、反発を買いかねません。むしろ、「キミはどうかな？」と、判断をまかせたほうが聞き入れられやすいうえ、「この人とは話せる」と信頼されやすくなるものです。

商品をすすめつつ、お客の真意を探る方法

□予算はいかほどとお考えですか？

ものを買うさい、大きな判断材料となるのは、やはり値段。お客の予算に合わせて商品を紹介するため、お客の心づもりを端的に聞いてみるといいでしょう。そのさい「予算はおいくらですか？」とズバリ聞くより、「いかほどとお考えですか？」とオブラートに包むのが、大人のもの言い。

□こちらが○○でございます。いかがでしょう？

商品に興味を持つ人の心をつかむためのフレーズ。商品説明したい気持ちをおさえ、まずは商品に対する印象を尋ねます。そうして、相手の印象や興味を探ったうえで、商品説明に入るのが得策。

□他に気になる商品はございますか？

立ち止まって商品を見ているお客に話しかけるフレーズ。あるいは、要望をあまり口にしないお客から、情報を引き出すためにも使えます。こう尋ねて、相手の胸の内がわかれば、それに応じたセールストークを繰り広げやすくなります。

相手の意見を引き出す提案のコツ

□このような案はいかがでしょうか？

相手に何らかのプランを提案するときの基本フレーズ。営業だけでなく、会議や交渉でも使える言葉です。

□一つの案として、こうしてみてはいかがでしょうか？

会議や交渉が滞ったとき、突破口となり得るフレーズ。会議や交渉で行き詰まったときは、代案を出せるかどうかが、勝負の分かれ目にもなります。そんな勝負時でも、「一つの案として」とへりくだった態度で代案を繰り出せば、相手に受け入れられやすくなります。

「進行状況」を相手に話させるにはこの質問

□ところで、○○についてはどうなっていますか？

話題をがらりと変える尋ね方。「ところで、○○についてはどうなっていますか？」と尋ねると、それまでの話題はいったん終了となり、こちらの望む話題に誘導できます。また、話が本筋からそれたとき、元に戻すためにも効果をあげる質問です。

□先日お願いした件ですが、その後、どうなっておりますでしょうか？

依頼した件の進み具合を尋ねるフレーズ。「どうなっておりますでしょうか？」と丁寧な言葉で探りを入れ、相手が「順調に進んでいます」などと答えれば、より具体的に進捗状況を尋ねればいいでしょう。

□その後、順調でしょうか？

依頼した件が、すでに着手されていると知っているときには、こう尋ねるといいでしょう。相手が問題を抱えていると答えれば、その点について協議すればいいし、「ええ、順調です」という答えが返ってきても、当方が懸念する点を「ひとつ気がかりなのは……」などと切り出すことができます。

□進行上、何か不都合はありませんか？

依頼した件の進行状況を尋ねるフレーズ。不都合の有無を尋ねることで、「不都合があれば、手助けします」という気持ちを伝えることができます。一方、相手が「順調です」と答えれば、約束の期日を守ることの言質《げんち》をとったことになります。

□いつ頃になりそうですか？

納期をこちらで決めるのではなく、相手に尋ねるフレーズ。また、相手が納期を守るのが難しいと言ってきたときにも、こう言うといいでしょう。その場合、相手に嫌みを言うより、新しい納期を改めて決めたほうがよほど建設的というもの。

自分の話を相手がどう受け止めたか確認するには？

□ご質問はございませんでしょうか？

説明を聞いている側は、多少わかりにくいところがあっても、なかなか質問しにくいもの。その気持ちを察して、説明中、ときおり「ここまで、ご質問はございませんでしょうか？」と尋ねて、ガス抜きをしておくのが賢明。

□何かわかりづらい点などはございませんでしたか？

説明後、「私の説明で、何かわかりづらい点がございませんでしたか？」と尋ねると、聞き手は質問を返しやすくなります。それに対して、丁寧に説明し直せば、相手の理解度を確実に高めることができます。

□私の説明で、ご理解いただけましたでしょうか？

単に「ご理解いただけましたでしょうか？」というよりも、「私の説明で」ではじめると、「私のまずい説明で」という意味が加わるので、謙虚さを表すことができます。

□ここまでは、よろしいでしょうか？

話の区切りで、聞き手に問いかけるフレーズ。ときおり、こう尋ねることで、長い説明にもメリハリをつけられます。この問いかけに、聞き手からの特別な反応がなければ、そこまでの説明を聞き手が理解していることを確認できます。

□次に進んでもよろしいでしょうか？

これも、話の区切りで問いかけるフレーズ。「ここまでは、よろしいでしょうか？」と同様、要所で問いかけるといいでしょう。長時間にわたる説明では、このようなメリハリをつける言葉をはさみたいもの。

□これで、ご質問の答えになっていますでしょうか？

我ながら、質問に答えきれていないと思うときは、このフレーズで逃げる手もあります。よほど敵対的な相手でなければ、「答えになっていないよ」とは返してこないでしょう。また、要領をえない質問に対しても、この言葉で一区切りをつければ、話を次に進めやすくなります。

会議を盛り上げるカギは、この「聞き方」にあった

□○○さんのお立場から見るといかがですか？

会議で、特定の人に発言が片寄ったり、議論が滞ったときに使えるフレーズ。この言葉で指名すると、相手は自分の立場から発言すればよいので、漠然と意見を求められるよりも発言しやすくなります。その人でなければ言えないような意見が出れば、視点が変わって議論が盛り上がるかも。

□他にどういった可能性があるでしょうか？

会議では、議論が行き詰まったり、袋小路に迷い込むことがあるもの。そんなときには、「他の可能性」という言葉から場面転換につながることもあります。参加者の思考回路に小さな変化が起きれば、袋小路から脱け出せる可能性が出てくることでしょう。

□〇〇というご意見でよろしいでしょうか？

会議の参加者にも、話の長い人がいるもの。かといって、「発言は手短に」とストレートに注意すると角が立ちます。そこで、議長役をつとめているときには、発言の途切れたところで要旨をまとめて聞き返すのが得策。発言者のプライドを傷つけずに、議論を進めることができます。

□いまのご発言に対して、どなたかご意見はありますか？

対象を「いまのご発言」に限定することで、新たな意見を引き出しやすくなります。その一方で、そろそろ議論を終わらせたいときにも有効なフレーズ。意見が出ないとき、シーンとした瞬間をとらえて、「それでは、そろそろまとめに入らせていただきます」と、会議をスムーズに終わらせることができます。

〝反論含み〟で相手に話をさせるフレーズ

□○○と考えるのはいかがでしょうか?

会議などで、反対意見を述べるときに使えるフレーズ。真っ向から「それは違いますね」と否定すると反発を買うことになるので、代案を示しながら「いかがでしょうか?」とおうかがいを立てるのに使えます。反対意見を提案形にすることで、相手の気持ちを損ねず、ソフトに反論できます。

□別の角度から見ると、このようになりますが、いかがでしょうか?

商談はうまくまとめることが目的ですから、相手と意見が食い違っていても、正面から反論するのは愚策。そんなとき、便利なのが「別の角度から見ると」という言葉。「あなたの意見を別の角度から見ると、こんなデメリットがありますよ」という意を婉曲に伝えられます。相手を傷つけることなく、やんわり指摘したほうが、話をまとめやすいもの。

□ごもっともな意見ですが、私の話も聞いていただけませんでしょうか？

商談や会議で、「私の意見も聞いてください」と言うと、感情的になるきっかけになりやすいもの。同じ意味でも、まずは「ごもっともな意見」と持ち上げておき、質問形で依頼する形にすると、相手もこちらの提案に耳を傾けやすくなります。

上司に100％「回答」させる聞き方とは？

□これで、よろしいでしょうか？

仕事で疑問が生じたとき、「どうすればいいですか？」と上司や先輩に尋ねるのは、子供とさして変わりません。状況を簡潔に説明し、自分の考えを示したうえで、

「これで、よろしいでしょうか？」と尋ねたいもの。

□これでよろしいでしょうか？

短時間で目を通せるものを確認してほしい場合も、前項同様、こう聞けばいいでしょう。「これでいいですか？」と問うと、敬意を含んでいないので要注意です。

□この仕事はここまでできていますが、どちらを先にしましょうか？

仕事をスムーズに進めるには、優先順位を見定めることが重要。自分で判断がつかないときは、上司に尋ねることですが、上司も仕事の進み具合がわからなければ、判断がつかないはず。そこで、状況を説明したうえで、どちらを優先するか尋ねたいもの。

□何かできることはありますか？

忙しそうな上司の前で、ヒマそうにしている部下ほど、印象の悪いものはありません。そんなときには、「何かできることはありますか？」と尋ねるのが、大人の社内処世術です。「あなたのために何かしたい」と言われて、気分を害する人はいないはず。

相手のスケジュールを確認したいときのひと言

□どちらへお出かけですか？

外出しようとしている上司や先輩にかける言葉。挨拶代わりに声をかけ、「○○」と返ってくれれば、「そうですか。お気をつけて」と応じます。外出先がわかっていれば、何かあってもあわてなくてすみますし、一声かけることで上司や先輩への気遣いを表すことができます。

□何時頃、お戻りになりますか？

会社では、帰社時刻を知らせ合っておくのが基本のルール。ホワイトボードに記入することが多いものですが、口頭でも確認しておいたほうがいいでしょう。

訪問客から要件を聞き出すプロの聞き方

□失礼ですが、どちら様でしょうか?

訪問客に、名前や社名を尋ねる基本フレーズ。初対面の人に尋ねるのですから、冒頭に「失礼ですが」が必要です。より丁寧に聞きたいときは、「失礼ですが、お名前をおうかがいしてよろしいでしょうか?」と尋ねればいいでしょう。

□失礼ですが、どのようなご用件でしょうか?

アポなしのお客に、用件を尋ねるときに使えます。「どのようなご用件ですか?」だけでは、ややぶっきらぼうに聞こえるので、「失礼ですが」をつけて当たりを柔らかくし、最後に「でしょうか?」をつけて敬意を表します。なお、顔見知りには「今日は、どんなご用向きですか?」と問うと、親しさを込められます。

□差し支えなければ、ご用件をうかがえますでしょうか？

相手の訪問意図がわからないときに使うフレーズ。単に「どんなご用件ですか？」と聞くのは不躾なので、まず「差し支えなければ」というフレーズではじめ、「うかがえますでしょうか？」と謙譲語を使って締めくくるといいでしょう。

□どちらにご用でいらっしゃいますか？

社内で迷っている様子の訪問客に、用件や訪問先を尋ねるフレーズ。最近は、社内で知らない人を見かけたときは、多少警戒するものですが、声のかけ方によっては相手をムッとさせることもあります。腰を低くして丁寧に尋ねたいところ。

□お約束でしょうか？

訪問客に約束の有無を尋ねるフレーズ。微妙な違いですが、「お約束ですか？」や「お約束はありますか？」と聞くのは、やや失礼。「ですか」や「ありますか」を「でしょうか」に変え、「お約束でしょうか？」と尋ねると丁重な言葉になります。

お悩み、トラブル…問題の話を促す質問

□個人的なことのようだね？

悩みを抱えている後輩が相談に来たとき、部下が話しはじめにくいようなら、「個人的なことのようだね？」と尋ねてみるといいでしょう。この言葉でプライベートな相談にも乗るという態度を明らかにすれば、部下も少しは話しやすくなるはず。

□折り入っての話とは何でしょうか？

重要な話があると言いながら、相手がなかなか話を切り出さないことがあります。言いにくい話をどうはじめるか迷っているのかもしれないので、そんなときは「折り入っての話とは何でしょうか？」と、こちらから水を向けるといいでしょう。こちらから催促する形をとれば、相手は話しやすくなるはず。

□何か大切なお話があるとお聞きしましたが？

これも相手が重要な話を切り出せないでいるときに使います。「折り入っての話とは何でしょうか？」よりもやや軽いので、その分、相手は話しやすくなることも。

□例の一件について、何かお聞きになってはいませんか？

懸案事項について上司に尋ねるとき、「例の一件はどうなったのでしょうか？」と尋ねると、尊大に聞こえかねません。「どうなった？」と聞けるのは上司であって、部下はそう聞ける立場ではないはず。「例の一件について、何かお聞きになってはいませんか？」が立場をわきまえた尋ね方。

反論するには尋ねる形で婉曲に指摘する

□〇〇の点が気になるのですが、どうお考えですか？

異論があるときは、「表現を婉曲にする」という質問形の特質を生かし、尋ねる形をとるのが、大人の日本語。これは、その代表例。「○○について、問題があると考えます」と言うと、角が立ちますが、質問形にすれば、強く否定したことにはならないので、相手をムキにさせることなく、生産的な議論につながります。

□他社がまだ取り組んでいないのは、どうしてでしょう？

新企画・製品に対して、否定的な意見を述べたいとき、「そんなの売れませんよ」とストレートにいうと、「その根拠は？」と逆襲されかねません。ここは、あくまで質問側に回ったほうが得策。他のプロたちがどう考えているかを質問形で示唆するといいでしょう。「他社がまだ取り組んでいないのは、どうしてでしょう？」と問えば、その企画に現実性がないことをやんわりと表現できます。

□時代を先取りしすぎていませんか？

斬新な意見に対して、否定的な意見を言いたいとき、「そんなの空論ですよ」と言うと、事を荒立てかねません。そんなときには、相手の意見の新しさを認めつつも、それが早すぎると質問形で指摘するのが得策。「先取りしすぎていませんか？」といえば、相手の先見力を認めたうえで、婉曲に否定できます。

□何か別の案はありませんか？

相手の提案を断るとき、尋ねる形を使って相手との軋轢《あつれき》をおさえるフレーズ。「別の案はありませんか？」と聞くことで、いまの案には興味がないと、ほのめかすことができます。加えて、「新しい案が魅力的なら乗る」と示唆していることになるので、「断られた！」という相手への心理的なダメージを小さくできます。

あとでモメないよう、この聞き方で「言質」をとる

□○○と考えてよろしいでしょうか？

相手の話がよく理解できないときは、自分なりにまとめて聞き返す方法があります。理解できた部分をまとめ、「○○と考えてよろしいでしょうか？」と尋ねると、それでOKなら次の話に進めますし、間違っているときでも、相手にもう少しわかり

やすく話そうと思わせることができます。

□以上で、誤りはないでしょうか?

注文を受けたときは、復唱するのがビジネスの基本。加えて、最後に念押しの質問を添えたいもの。「以上で誤りはないでしょうか?」と聞き、返事を得れば、後々トラブルになったとしても、とりあえずの言質はとっていることになります。

□とりあえずGOということで、よろしいですね?

ビジネスでは、完全な決定ではないものの、とにかく前に進めなければならない仕事があるもの。そんなときは、このフレーズで周囲に尋ねて、了解を得ればいいでしょう。

□では、この線で進めていいわけですね?

会議などで方向性が見えてきたときには、この質問で一応の合意をとりつけるのが得策。なお、単に「この線で進めていいですね?」というと、勝手に結論付けたように聞こえますが、「この線で進めていいわけですね？」と「わけ」をつけると、完全な結論というわけではなくなり、その分反発を買うことも少なくなります。そのあたりが、大人の日本語の微妙なところ。

□私の提案どおりで、とくに問題ないですね？

自分の提案に関して、そろそろ結論を出してもらいたいとき、「みなさん、いかがでしょうか？」と尋ねると、出席者が見合ってしまい、結論を得にくいことがあります。そんなとき、「私の提案どおりで、とくに問題ないですね？」と確認をとる尋ね方をすると、「うん、そうだね」となりやすいもの。

仕事上の「返答」を要求する聞き方

□お考えいただけましたでしょうか？

質問形ですが、その真意は、結論を求めるところにあるセリフ。すでに十分な説明を終え、あとは相手の判断を待つのみというときに使います。こう尋ねれば、相手も判断せざるをえないと思いはじめるもの。あとは、どんな言葉で誘導するかにかかっています。

□**ご返事は、いつ頃までにいただけますでしょうか？**

返事を催促するとき、「お返事はまだでしょうか？」と尋ねると、相手に非があるように聞こえてしまいます。そこで、見出しにあげたフレーズのように、時期を尋ねる形にすれば、返事の時期を決めるのはあくまで相手なので、失礼にはなりません。それでいて「返事を待つ」というこちらの気持ちを強く伝え、返事を急がせるという効果があります。

□**明日までに結論をいただきたいのですが、いかがでしょうか？**

期限を切って、結論を促すフレーズ。「そろそろ結論をいただきたいのですが？」というと、相手は結論を引き延ばしやすくなりますが、「明日まで」、「明後日まで」と期限をつけると、結論を出さざるをえない状況を作ることができます。ただし、その分、「それは無理ですよ」と紛糾の原因にもなるので、使い方には注意のほど。

□どのような状況か、ご説明願えますか？

これは、クレーム対策用の質問の一つ。クレーム電話に対しては、まずはトラブルの状況をうまく聞きとることが大切です。「では、どのような状況か、ご説明願えますか？」と聞けば、相手は具体的に状況を説明しやすくなります。「状況」、「説明」といった言葉は、相手に冷静に話すことを促す効果もあります。

□最近、遅刻が続いているようだけど、何か心配ごとでもあるの？

部下の遅刻を叱るとき、「また遅刻か、ダメじゃないか」はよく使われるセリフ。だらしのないタイプにはそれでも仕方ありませんが、人によっては何か事情を抱えているのかもしれません。とくに、ふだん真面目なタイプには、「何か心配ごとでもあるの？」と気遣いを表しながら、事情を尋ねたほうが建設的でしょう。

7

誰も教えてくれなかった「前置き」と「質問」の話

うまい「前置き」で、会話をよりスムーズに進めよう！

「前置き」は、本題に入る前にひと言はさむ言葉。大人同士の会話は、この「前置き」をうまく使うことで、より円滑に進みます。

たとえば、人に何かを尋ねるとき、いきなり質問すると、相手は心の準備ができていないため、答えに詰まってしまいます。そこで、「参考までにお聞きしたいのですが？」や「つかぬことをお尋ねしますが」などと前置きし、相手に「これから質問しますよ」というシグナルを送るのです。すると、唐突な感じが消え、その後の会話をよりスムーズに進められます。

このような前置きフレーズは、相手に9割話させるため、相手の自尊心をくすぐるためにも使えます。

たとえば、「お教えいただきたいのですが」と前置きすれば、単に「お尋ねしたい」というよりも、相手のプライドをより強くくすぐることができるのです。

では、会話を円滑に進めるためのさまざまな「前置き」を紹介していきましょう。

相手を一瞬で「答える気持ち」にさせる前置き

□少々お尋ねしたいのですが？

人に質問するのは、短い間でも、相手に時間を割《さ》いてもらう行為。それだけに、いきなり質問すると失礼になることがあります。最初の質問の前には「少々お尋ねしたいのですが?」と前置きするのが、大人のお約束。こう前置きすると、相手は「どうぞ、尋ねてください」という心の準備ができます。その分、適切な答えを引き出しやすいはず。

□一つお尋ねしたいことがあるのですが？

前項の「少々お尋ねしたいのですが?」の変形。「一つ」と限定すると、相手はその質問に集中しやすくなります。ただし、「一つ」と言いながら、二つも三つも質問すると、「言うことと、することが違う」と信用されなくなるので、一つに限定すること。

□恐縮ですが、質問させていただいてよろしいでしょうか？

あらたまった場で目上に質問したいとき、「すみません、質問があるのですが？」は場にそぐわないセリフ。「恐縮ですが」ではじめ、「質問させていただいてよろしいでしょうか？」と最大限敬語化して尋ねれば、礼儀正しい質問になります。

□参考までにお聞きしたいのですが？

話を引き出すための前置き。「参考までに」と言うと、さほど重視していないように響くため、相手は警戒心が薄れ、話しやすくなることもあります。その「参考までに」と聞いた〝余談〟の中から、掘り出し情報が出てくるのはよくあるケースです。

□後学のためにお聞きしたいのですが？

専門家に話を聞くときの前置き。後々のために聞いておきたいという気持ちを伝えられる他、前項の「参考までにお聞きしたいのですが？」の変形としても使えます。「後学のため」なら、相手は警戒することなく、いろいろと話してくれるかもしれません。そこから、やはり掘り出し情報が出てくることも。

□つかぬことをお聞きしますが？

「つかぬこと」は、漢字で書けば「付かぬ事」で、それまでの話とは関係がない（付かない）という意。だしぬけに無関係な話を尋ねるときの前置きであり、話題を変えたいときにも使えます。「つかぬことをうかがいますが？」でもＯＫ。

□愚にもつかぬことをお聞きするようですが？

くだらないと思われそうな質問をするときの前置き。あらかじめ、自分の言葉の価値を下げておくと、その後、本当にくだらない質問をしても許してもらいやすくなります。また、相手にとっては常識と思われる知識について、質問するときにも使えます。

□すでにご説明があったかもしれませんが？
遅れて出席した会議で、質問したいときは、こう前置きしたいもの。すでに説明されていたり、他の誰かが同様の質問をしているとしたら、相手に同じ説明をさせることになるので、あらかじめ断りのひと言を入れておくというわけです。

「聞きにくいこと」を聞き出すための前置き

□立ち入ったことをおうかがいするようですが？
立ち入ったことまで尋ねるときは、こう前置きするのがお約束。とりわけ、事の原因や真相を確かめたいときには、必須の聞き方といえます。あいまいにすませられないテーマに関しては、こう前置きして相手を問いただすといいでしょう。

□不躾なことをおうかがいしますが？
これも、立ち入ったことを尋ねるときの前置き。自分の質問が不作法であると認めることで、相手の不快度を弱めるためのフレーズです。立ち入ったことについていきなり質問すると、相手は心の準備ができていない分、不快に思いやすいもの。それでは、十分な答えを引き出しにくいので、こう前置きします。「失礼なことをおうかがいしますが？」でもOK。

□図々しくお聞きしてよろしいでしょうか？

核心に迫るための前置き。「図々しく」と宣言することで、重要な話を聞き出したいという気持ちを表します。ただし、「図々しく」は品のない言葉だけに、それに続ける言葉は十分に敬語化したほうがいいでしょう。「図々しいことをうかがうようですが」でもOK。

□より突っ込んだ話をうかがってもよろしいでしょうか？

相手が話の核心をずらし、あいまいに答えようとするときは、逃がさないように質問を続けなければなりません。「より突っ込んだ話をうかがってもよろしいでしょうか？」という前置きは、それまでの応答では不十分と告げたのも同然。相手がこちらの意図を理解すれば、もう少しちゃんと話そうかという気持ちにさせられるかも。

□思いきってお聞きしますが？

重要な話を聞き出したいときの直球勝負の前置き。「思い切って」と言うことで、こちらの決意を相手に伝えられます。相手もこちらの決意を察し、感じるところがあれば、重大な話を聞かせてくれる可能性が出てきます。

□ズバリお聞きしたいのですが？

これも、直球勝負するときの前置きとして覚えておくと便利です。「ズバリ」は躍動感のある言葉なので、尋ねる姿勢に勢いをつけられます。その勢いで相手を押して、核心的な情報を聞き出すことができるかもしれません。「単刀直入にうかがいますが？」も、同様に使える言葉。相手に、あやふやなことは言えないと覚悟させる確率が高まります。

□こんな質問をすると、叱られるかもしれませんが？

くだらない質問、初歩的な質問をするときの前置き。自分の質問レベルの低さをあらかじめ認めることで、相手の不快感をおさえることができます。失礼な質問をするときにも使えるフレーズです。

□こんなこと聞いてよろしいでしょうか？

聞きたいことがあるけれど、聞くと相手は気分を損ねるかもしれない――そんなときは、このセリフを最初に言うといいでしょう。こちらの恐縮する思いを伝えられ、相手に「不躾な質問」と思われずにすみます。

□こんなことをお聞きしていいものなのか、わかりませんが？

失礼な質問をしなければならないときの前置き。あらかじめ失礼かもしれないと認めることで、相手に心の準備をさせるフレーズ。実際に失礼な質問だったとしても、多少は相手に受け入れやすくなる効果があります。

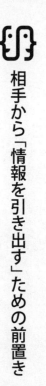

相手から「情報を引き出す」ための前置き

□ご存じでしたら、聞かせていただけませんか？

「ご存じでしたら」と婉曲にはじめながら、知っていることは話してほしいという気持ちを伝えるフレーズです。

□ご存じの範囲で結構ですから、聞かせていただけませんか？

前項の変形。より丁寧で慇懃《いんぎん》な尋ね方であり、あまり親しくない相手に対し、無礼にならない尋ね方として使えます。

□差し支えのない範囲で結構ですから、聞かせていただけませんか？

「ご存じでしたら、聞かせていただけませんか？」をよりソフトにした尋ね方。「ご存じの範囲」という尋ね方は隠し立てをしてほしくないニュアンスを含みますが、一方「差し支えのない範囲」という言葉は、ある程度の隠し立てはしかたないというニュアンスを含みます。相手を追い詰めずに、話を聞き出すための尋ね方といえます。

どうしても「本音」を引き出したいときの前置き

□本音のところで教えていただけませんか？

イエスかノーかを聞きたいときや、心づもりの金額を聞き出したいときなどに使えるフレーズ。「本音のところで、賛成か反対かを教えていただけませんか？」、「本音のところで、ご予算を教えていただけませんか？」などと使えます。

□できましたら、本当のことを教えてもらえませんか？

相手が何かを隠しているとき、最後の手段となる尋ね方。それだけに、この尋ね方をするときは、頼みごとをするような口調にしたいもの。懇願調で尋ねれば、相手は情にほだされて、秘密を明かそうという気になるかもしれません。

□率直なところ、どういうことでしょうか？

突っ込んだ話をしたいときの質問の一つ。「率直なところ」と言うことで、相手の本心を知りたいという気持ちを表せます。相手があいまいな答えに終始し、逃げようとしているときにも使える質問です。

□実際のところはどうなのでしょう？

建前的な話から一転、核心に迫るための尋ね方。このフレーズを口にするときには、真剣な表情を浮かべることが肝心です。

□ざっくばらんなところで、教えていただけませんか？

本音を引き出すための変化球的な尋ね方。「ざっくばらんなところ」というくだけた表現で、相手の気持ちをゆるめることができれば成功。相手は本音を漏らしてくれるかもしれません。とりわけ、金額の交渉で、相手の想定金額を知りたいときに使える尋ね方。「ざっくばらんなところで、ご予算を教えていただけませんか？」など。

□ぶっちゃけた話を聞いていいですか？

本音を聞き出したいときの、くだけた尋ね方。上司には使えませんが、親しい先輩や同僚相手なら許されることが多いもの。かしこまったもの言いでは、本音を話しにくいこともあるので、あえてくだけた言葉を使って本心を探るフレーズ。

「確認」のタイミングで使いこなしたい前置き

□確認させていただきたいのですが？

同じ質問を繰り返すときの前置き。話の最後で確認のために使い、これによって誤解や勘違いを防ぐことができます。とくに、双方の言い分が異なるテーマで、一応の合意・了解らしきものに達したときは、このフレーズで念を押しておくといいでしょう。

□念のためにお尋ねしますが？

これも、確認をとるための前置き。とくに、食い違う点が多かった商談で使います。「念のために」とあらかじめ言うことで、同種の質問を繰り返しても、相手の苛立ちを防ぐことができます。

□○○と考えてよろしいのですね？

会議や商談で、確認をとるための尋ね方。「御社と弊社の出資比率は、当初六対四、将来的には五対五にすると考えてよろしいですね？」というように使います。誤解、勘違いを防ぐとともに、相手から言質をとる意味もあります。

□しつこいようですが、これでよろしいですね？

念には念を入れて確認をとるときの尋ね方。「しつこいようですが」とあらかじめ断れば、相手も多少のしつこさは受け入れざるをえなくなります。相手が交渉の手練であるときほど、しつこく尋ねて確認をとりたいもの。そのために使える質問です。

□たとえば、どういうことでしょうか？

相手の話が抽象的でよくわからないときに、話を具体的にさせる尋ね方。「たとえば」と尋ねると、相手は具体例を出さざるをえなくなります。「たとえば、どういうケースが想定されますか？」などと使います。

できるようでできない基本の質問

□いかがでしょうか？

状況を尋ねるとき、「どうなっていますか？」は同輩以下への聞き方。上司や先輩に尋ねるには、「いかがでしょうか？」がふさわしいフレーズ。「いかが」は「どう」のあらたまった言い方であり、相手へ敬意を払ったことになります。

□いかが相成っておりますでしょうか？

「いいがでしょうか？」をさらに丁寧にすると、「いかが相成っておりますでしょうか？」になります。「相成る」は「なる」のあらたまった表現。なお、納期が遅れている相手などに、あえてこの言葉を使うと、その〝公式的〟なもの言いが問い詰めるようなニュアンスを生み、プレッシャーをかけられることも。

□ご都合はいかがでしょうか？

電話やメールで、面会を求めるときの定番フレーズ。「ご都合」とくれば、「いかがでしょうか？」と続けます。「ご都合はどうですか？」という尋ね方はいささか幼稚で、大人の日本語を使えないと相手に侮られるもと。

□どうかなさいましたか？

相手に不調がありそうなとき、それを気遣う言葉に「どうされましたか？」があります。それでも十分ですが、よりていねいに尋ねれば、「どうかなさいましたか？」。

「なさる」は「する」の尊敬語であり、年配者には「どうかなさいましたか？」と問いかけたいもの。

□どのようにお困りですか？

相手が明白に困っているときは、「どのようにお困りですか？」と尋ねたいもの。どんなことで困っているかわかれば、解決の助けにもなります。クレームの電話を受けたときも、同様に尋ねて、状況を明らかにしていくといいでしょう。

□教えていただきたいのですが？

上司や先輩に教えを請うとき、「教えてください」は敬意不足。「教えていただけませんか？」、あるいは「教えていただきたいのですが？」と尋ねると、大人の頼み方になります。

□お時間、かかりそうでしょうか？

混雑時のレストランや居酒屋で空席を待つとき、ウエイターに「あと何分くらい待てばいいですか?」と尋ねるのは野暮というもの。ウエイターだって、正確な時間は読めません。そんなときは「お時間、かかりそうでしょうか?」と尋ねたほうがスマート。

寡黙な相手にしゃべらせる質問

□○○さんだったら、どうされますか?

相手があまり話さないとき、呼び水になる尋ね方。それまで、あいづちを打つばかりだった相手も、名指しされたうえで質問されると、自分の考えを少しは話さざるをえないような気分になるものです。

□○○と××、どちらがお好きですか?

寡黙な人に話させるには、二者択一式の尋ね方も有効。たとえば「何がお好きですか?」と聞いてもはっきり答えない相手でも、「AとB、どちらがお好きですか?」

と問えば、どちらかを選択して答えざるをえなくなります。一度、口を開けば、その後、少しは口が軽くなるかもしれません。

□かりに○○が××になったとしたら、どうなさいますか？

寡黙な相手に話をしてもらう方法の一つに、仮定質問があります。「もし、宝くじに当たったらどうしますか？」といった仮定の質問は、あくまで仮定なので責任が生じない分、ある意味答えやすいもの。そうした質問に答えるうちに、相手の口が軽くなるかも。

□私は○○と思うのですが、どうお考えですか？

相手の意見を聞きたいとき、単に「あなたはどう思いますか？」と問うとかわされることもあります。明確な答えがほしいときは、「私は○○と思うのですが」と前置きするのも一法。こちらの意見を明らかにすることで、相手に自分も意見を明らかにしなければならないというプレッシャーを与えることができます。

□○○という点について、もう少し詳しくお聞かせ願えますか？

相手から話を引き出したいときには、質問を一点に絞る方法もあります。「○○という点について、もう少し詳しくお聞かせ願えますか？」と聞けば、相手も話を絞り込んで話さざるをえなくなり、より具体的な情報を引き出せるかもしれません。

□なぜ、そう思われたのですか？

「なぜ」は、インタビューには必須の言葉。「なぜ、そう思われたのですか？」、「なぜ、そう考えられたのですか？」という質問をはさむと、相手はその理由を探すため、より深く考えてくれるようになります。深く考えるほどに話は深まり、インタビューではより多くの収穫を得られるもの。ただし、尋問のようにもなりかねないので、普通の会話では、連発は禁物です。

□過去には、さぞや辛い経験をなさったんでしょうね？

年配の人から話を引き出したいときは、過去の苦労話に同調しながら聞くのが常套手段。年配の人は、さまざまな苦労を積み、そのことを理解されたいとも思っているものです。経験談を入口にすると、口が重かった人の口も開きやすくなるはず。

□今日、国語の時間にどんなことをやったの？

学校から帰り、のんびり過ごしている子供に、「勉強しなさい」、「宿題やったの」と頭ごなしに言っても、反発を買うだけ。「今日、国語の時間にどんなことやったの？」と尋ねれば、無用な反発を買うことなく、しぜんに勉強の話に入ることができます。それで、宿題があることを思い出して、勉強部屋に足が向く子供もいることでしょう。

付章 相手が気分よく話せるフレーズ、口にしてはいけないフレーズ

相手に気持ちよく話してもらうためには、丁寧な「モノの聞き方」をする必要があります。以下の×は「できない大人のモノの聞き方」です。「できる大人の質問フレーズ」に言い換えられますか？

1 そういう聞き方があったんだ！

■「きっかけ」のひと言

×その後どう？→○その後いかがですか？

「その後どう？」は、親しい人にしか使えない聞き方。さほど親しくない人に対

しては「いかが」を使うのが大人の言葉づかいです。

×変わりない？→○お変わりございませんか？

目上に対しては、「その後いかがですか？」でも、やや丁重さに欠けます。「お変わりございませんか？」、あるいは「お元気でいらっしゃいましたか？」と尋ねましょう。

×どこで買ったんですか？→○どこでお求めになりましたか？

「買う」の敬語「お求めになる」を使うと、多少は不躾な感じを薄めることができます。

×いくらですか？→○いかほどですか？

「おいくらですか？」でも、「いくらですか？」よりはマシですが、前述のとおり「いかほどですか？」とすると、より大人っぽい問い方になります。

×どうしますか？→○いかがいたしましょうか？

「どうしますか？」は敬意を含んでいない質問。「どう」を「いかが」に変え、謙譲語の「いたす」を使うと、大人の聞き方になります。

×都合どうですか？→○ご都合はいかがでしょうか？

この場合、相手の「都合」を尋ねているので、「ご」をつけるのを忘れないように。

×何時にしますか？→○何時にいたしましょうか？

「する」の謙譲語「いたす」を使うと、相手への敬意を表しながら、尋ねることができます。

×質問していいですか？→○質問してよろしいでしょうか？

「いい」を「よろしい」に変えると、丁重なフレーズになります。

■相手との距離を縮めるひと言

×いつ出発するんですか？↓○ご出発はいつでしょうか？

「いつですか？」という言葉は、敬語化できないので「でしょうか？」として丁重なニュアンスを出し、そのうえで「出発」を「ご出発」に変えるのが大人のもの言いです。

×この話、もう聞かれましたか？↓○この話、もうお聞きになりましたか？

「聞く」を敬語化するときは、「聞かれる」ではなく、「お聞きになる」が正解。「お耳にされましたか？」でもＯＫです。

×昨夜はぐっすり寝られましたか？↓○昨夜はぐっすりお休みになられましたか？

「寝る」の尊敬表現「お休みになる」を使うと、丁重な聞き方になります。

×あの映画、もう見られましたか?→○あの映画、もうご覧になられましたか?

「見られる」も敬語ですが、「見る」の専用敬語「ご覧になる」を使ったほうが、よりこなれたフレーズになります。

×ゴルフをおやりになるのですか?→○ゴルフをなさるのですか?

「やる」は下品なニュアンスを含むので、避けたほうがベター。「おやりになる」と「お」をつけたところで、敬語にはなりません。

×熱がお出になったそうですね?→○熱を出されたそうですね?

「熱がお出になる」ではなく、「熱を出された」とすると、こなれた敬語になります。

×気に入っていただけましたか?→○お気に召していただけましたか?

「気に入る」の専用敬語「お気に召す」を使うと、こなれた質問フレーズになります。

■「仕事」での大事なひと言

×いま、話せますか？→○いま、お話してよろしいでしょうか？

「いいですか？」を「よろしいでしょうか？」に変えると、敬意を表せます。

×どう考えてますか？→○いかがお考えですか？

「どう」を「いかが」に変えると、大人の聞き方になります。

×こんな方法はどうですか？→○このような方法はいかがでしょうか？

「こんな」は「このような」に変えると、丁重に聞こえます。「どう」は前項同様、「いかが」に変えます。

×できないでしょうか→○願えませんでしょうか

人にものを頼むとき、「〜できないでしょうか？」では敬語になっていません。

「〜願えませんでしょうか？」が大人の定番フレーズ。

×先日の件ですよね？→○先日の件でございますよね？

「です」は丁寧語ではあっても、敬語ではありません。より丁寧な「ございます」に変えると、丁重に聞こえます。

×それは、どうかな？→○それは、どんなものでしょう？

これは、相手の提案に対して、反対の意思を婉曲に表す大人語。人の提案に疑義を示すだけに、より丁重に問いたいところです。

×企画書を見ていただけますか？→○企画書をご覧いただけますか？

「見る」の専用敬語「ご覧になる」を使い、謙譲語の「いただく」と組み合わせれば、大人の聞き方になります。

■「打ち合わせ」「訪問」でのひと言

×△△さんでございますか？↓○△△様でいらっしゃいますか？

まず、お客には「さん」ではなく「様」を使います。また「ございますか」は単なる丁寧表現なので、尊敬語の「いらっしゃいますか」を使うところ。

×△△さんはおられますか？↓○△△さんはいらっしゃいますか？

「おる」は「いる」の謙譲語なので、相手の行動に対しては使えません。「いらっしゃいますか？」が、正しい敬語です。

×お約束ですか？↓○お約束いただいておりますでしょうか？

「〜ですか？」は丁寧語ではあっても、敬語ではありません。謙譲語の「いただく」を使うと、大人の尋ね方になります。

×失礼ですが、どなたですか？→○失礼ですが、どちら様でしょうか？

単に「どなた」は敬意不足。「どちら様」が大人の表現です。

×いつ帰ってまいられますか？→○いつお帰りになりますか？

「まいる」は「来る」の謙譲語なので、「られる」を足しても尊敬語にはなりません。「帰る」の尊敬語は「お戻りになる」です。

×トイレ、どこですか？→○洗面所をお借りしたいのですが？

「トイレ」という言葉を使うのは不躾。「洗面所」に言い換えます。「手を洗いたいのですが？」でもオーケーです。

×どちらへ行くんですか？→○どちらまでお越しですか？

来客が迷っているようであれば、こう声をかけたいもの。「お越し」は「行く」、「来る」の敬語表現です。

×お名前を頂戴できますか？↓〇お名前をうかがってもよろしいでしょうか？

名前に「頂戴する」を使うのはミスマッチ。「聞く」の尊敬語「うかがう」を使うと、こなれた聞き方になります。

×電話を一本してもいいですか？

↓〇恐縮ですが、電話を一本かけてもよろしいでしょうか？

打ち合わせ中などに電話をかけるときは、相手の時間を無駄にするわけですから、丁重に了解を求めるのが、大人のマナーです。

×ちょっと考えてくれませんか？↓〇ご一考いただけないでしょうか？

「～くれませんか？」というフレーズに敬意は含まれていません。「ご一考いただく」なら、謙譲語の「いただく」を含むので敬語になります。

×一緒に考えてくれませんか？↓〇一緒にお考えいただけませんか？

これも、同様。「～くれませんか？」では尊敬語になっていないので、謙譲語を含む「お考えいただく」に変えます。

×検討してくれましたか?→○ご検討いただけましたでしょうか?

これも「〜いただく」で敬語化するパターンです。なお、前項の「考える」には「お」をつけ、「検討する」には「ご」をつけるところに注意。

×ご質問のある方はございませんか?→○ご質問のある方はいらっしゃいませんか?

「ございます」は敬語ではなく、丁寧語なので、「ございませんか?」は敬意不足。尊敬語の「いらっしゃる」を使うと、大人の敬語になります。

■「酒の席」でのひと言

×何にいたしますか?→○何になさいますか?

「いたす」は「する」の謙譲語なので、相手に対しては使えません。「する」の尊敬語「なさる」を使うと、こなれた敬語になります。

×一杯、どうですか？→○おひとつ、いかがですか？

「一杯」を「おひとつ」に言い換えると、丁重に聞こえます。「どう」を「いかが」に変えるのは、大人語の定跡です。

×何か、好きなものは？→○何かお好みはございますか？

「好きなもの」は「お好きなもの」と言い換えても、やや幼稚に聞こえるので「お好み」に変えます。

×ビールでいいですか？→○ビールでよろしいでしょうか？

「いい」を「よろしい」に変えると、丁重な聞き方になります。

×お下げしても結構ですか？→○お下げしてもよろしいですか？

「結構」は、謙譲のニュアンスを含むので、相手が承諾するかどうかを尋ねる場合には使えません。

2　こんな質問は絶対ＮＧ！――ダメな大人の聞き方

以下のような質問は、大人社会ではＮＧ。相手を気持ちよく話させるどころか、相手は貝のように押し黙ってしまうかもしれません。

■相手を不快にさせかねない損な聞き方

×ありえなくない？

「ありえない」を強調したいときに使う若者言葉ですが、仲間内以外では使わないほうが賢明。「～ない？」という疑問形が小馬鹿にしているように聞こえますし、そもそも「ありえない」という決めつける言い方自体が失礼な響きを含みます。むろん、「ありえなくね？」もダメ。

×じゃないですか？

若者が同意を求めたいときに使いがちな言葉。「最近、忙しいじゃないですか？」といった具合で、本人は「ですか」を丁寧に言っているつもりでも、相手をムっとさせる可能性があります。同意を強要するニュアンスを感じさせるからです。

×それが、どうしたの？

相手が自分の体験談を話したとき、何が面白いのかわからなくても、話にオチがなくても、こんな言い方をするのはＮＧ。相手は楽しく話しているのに、水をかけるようなセリフで応じると、相手の好意を失いかねません。とりあえず「へぇ～、そうなんだ」、「よかったね」ぐらいのあいづちは打っておきたいもの。

×最近、痩せたんじゃない？

「最近、痩せた」ということは、以前は太っていたことを意味します。また、「痩せた」という言葉は「やつれた」、「元気がない」というニュアンスを含むので、避けたほうが賢明。「一段とスリムになられたんじゃないですか？」と聞くのが、大人のもの言いです。

×オレって何歳に見える？

中高年の男性が、酒の席などで、若い女性相手に口にしがちなセリフ。自分は実年齢よりも若く見えるとアピールしたい気持ちが見え見えで、聞いているほうはシラけてしまいます。「ウザイおっさん！」、「自意識過剰！」とバカにされがちなセリフ。

■相手のプライドを傷つける聞き方

×お一人でできますか？

高齢者に対して、「お一人でできますか」、「お一人でお持ちになれますか」などと、〝能力〟を問う形の質問をするのは失礼です。何歳になっても、人の世話になりたくないと考える人にとっては、「できますか」と聞かれるのは、不愉快なもの。「大丈夫ですか？」、「お持ちしましょうか？」と尋ねたほうがいいでしょう。

×○○さん？　覚えてないなぁ

以前、会ったことのある人を覚えていないのは、それだけで失礼なこと。会った人全員を覚えているのは不可能にしても、相手が覚えてくれているようなら、「忘れて申し訳ない」という態度で接したいものです。「申し訳ありません。どちらでお目にかかりましたでしょうか？」と聞くところ。

×他の人を誘えば？

何かのイベントなどに誘われたとき、こんな断り方はＮＧ。「自分に遠慮せず、他の人と行ってほしい」という気持ちからでも、相手にはそう聞こえません。「誰でもいいから誘ったんでしょ」、「代わりはいくらでもいるでしょ」といっているようにもとられかねません。

×手伝ってあげようか？

人に手伝いを申し出るときは、親しい間柄でも「手伝ってあげる」とは言わないこと。「あげる」という言葉には恩着せがましい響きがあり、「手伝ってあげる私が上、手伝ってもらうあなたは下」と言っているようにも聞こえるからです。単に「手伝おうか？」といえば、そんな上下関係を意識させずにすみます。

×これならできる？

何かを頼むとき、こんな聞き方をするのはNG。言外に「あなたにはできないことも多いけど、これなら簡単だからできるでしょう？」というニュアンスが含まれてしまいます。さらには「できそうな仕事を探してやった」といったニュアンスさえ感じさせるので、言われたほうは「何でそこまでして、しなきゃいけないのか」と憤慨することでしょう。

×悪いけど、やってくれない？

本来、その人の仕事ではない仕事を頼むとき、申し訳ない気持ちからでも、「悪いけど」とはじめるのは、得策とはいえません。損な仕事、割りに合わない仕事とわかって頼んでいるようで、相手は貧乏くじを引かされた気分になってしまいます。「少し手伝ってもらえないかな」とシンプルに頼んだほうがベターです。

×いつなら空いてます？　ボクは週末のほうが助かるけど

日程をすり合わせるとき、相手の都合を聞く前に、自分の都合を言ってはダメ。相手に、こちらの都合を優先させることになってしまいます。その後、「この人は、自分の都合を優先させる人」という目で見られかねません。

×ひょっとして血液型B型ですか？

そもそも、血液型で性格を判定されることに抵抗感をもっている人が少なくありません。一方、血液型と性格の関係によると、B型は奇人変人の傾向があるとされるので、多少は気にしている人に対して「B型ですか？」と聞くのは、「あなたは変人ですか？」と問うようなもの。失礼と感じる人もいるので、口にしてはいけない質問です。

■人間関係を破壊しかねない聞き方

×要するに、何が言いたいんですか？

このセリフは「あなたは話が下手、頭が悪い」と言ってるのも同然。相手は、小馬鹿にされたと感じ、反発することでしょう。「最も強調したい点は何でしょうか？」など、相手を不快にさせない大人の〝結論誘導法〟を知っておきたいものです。

×他にすることとあるだろう？

宿題をほったらかしにしてゲーム三昧の子供に対してでも、こんなセリフを使えば、子供は素直には従わないはず。嫌味な言い方に対して、反発することでしょう。むろん、サボっている部下に対してはなおさらのことで、反発を買うのがオチです。

×この仕事、向いてないんじゃないの？

仕事の要領が悪い同僚や後輩に対して、たとえ善意からでも言ってはいけないセリフ。確かに、仕事に向き不向きはあるものですが、それは他人が判断することではないはず。しかも「自分は向いているけど」という前提に立つ言葉だけに、より反感を買いやすい言葉です。

×それは、キミの仕事でしょう？

仕事で手伝いや助言を求められたとき、こんな返し方はあまりに冷淡。以後、相手はこちらに心を開かなくなることでしょう。そもそも、同じ会社、同じ部署にいれば、自分がまったく無関係ということはありえません。そのことを忘れた無責任なセリフといえます。

×なんだ、そんなこともわからないのか？

部下や後輩が初歩的な質問をしてきても、こんな返し方はＮＧ。相手にとっては初歩ではないから聞いているのに、こんな言葉を返すと、以後、質問する気持ちさえ削ぐことになりかねません。その結果、勝手な判断で、大きなミスをされないとも限りません。それを避けるためにも、不用な言葉は喉元に止め、質問に答えるのが賢明です。

×できるの？　できないの？

仕事の指示を出したのに、相手の返事が煮え切らない。だからといって「できるの？　できないの？」と問い詰めるような聞き方はＮＧ。相手はよく考えたいので、返事を保留しているのかもしれません。イエスかノーかといった聞き方ではなく、「何か気になることでもあるの？」と、即答しない理由を尋ねたほうが建設的というもの。

×嫌なら辞めれば？

反抗的な態度をとる部下や後輩に対しては、ついキツイ言葉を吐きたくなるもの。でも、これは言ってはいけないセリフです。仕事に不満があるようなら、まずは理由を聞き、一緒に考えたり、解消策を提示するのが、上司や先輩の仕事。「辞めれば？」はそれを放棄した言葉で、相手の信頼を失うだけです。

×そっちで、どうにかならないの？

これは、面倒ごとを避けたいという気持ちをあからさまにした無責任なもの言い。誰しも面倒ごとには関わりたくないものですが、それでも場合によって関わらざるをえないのが、大人の世界。責任を転嫁するにしても、もう少しまともな言い方があるはずです。

×何年、同じ仕事してるんだ？

いつまで経っても仕事が遅い。同じようなミスを何度もする――そんな部下や後輩の自覚を促すためでも、こんなセリフを使ってはダメ。反感を買うのはもちろん、相手のプライドを傷つけ、仕事への意欲をますます失わせることになりかねません。

×いつまで学生気分でいるんだ？

会社に入ったからといって、最初から立派な社会人として振る舞えるわけではありません。ちょっとした気の緩みをつかまえられて、こんな言い方をされると、誰しも面白くは感じないはず。注意するなら、「少しおしゃべりが多い」など、具体的に指摘したほうがよほど建設的です。

×今日一日、何をやってたんだ？

仕事が遅々として進まず、成果が出ない部下や後輩に対して、つい言いたくなるひと言ですが、本当に口にしてはダメ。本人なりの努力を全否定することになってしまいます。全否定するのでなく、仕事の進め方や段取りに問題があるのではないかなど、意味のある会話を交わしたいものです。

×お前、働く気があるのか？

とてもやる気があるようには見えない部下や後輩に対しても、こんな言葉はNG。相手はショックを受け、心を閉ざしかねません。苦言を呈するにしても、

「やる気」といった漠然とした言葉でなく、「遅刻が多い」など具体的な例を挙げて、問題点を指摘したいもの。

×仕事と家庭と、どっちが大事なんだ？

これは、「仕事が大事」という答えを強要する聞き方であり、こんな質問をされると、誰しも面白くは思いません。もともと二つを比べるのがおかしな話であり、相手の働き方に不満があれば、家庭を持ち出すことなく、仕事に絞って話せばいいことです。「何か心配事でもあるのか？」などと、相手に寄り添った質問をしたほうが、心を開きやすくなるはず。

×私の気持ちを考えたこと、ありますか？

仕事の場にふさわしくない、子供っぽい言い方。「私は不快な思いをしている」と訴えたいのでしょうが、あまりに自己中心的な言葉です。「この点がおかしいと思います」、「これではうまくできません」などと、自分の思うところをきちんと説明したほうがいいでしょう。

×何が気に入らないんだよ？

相手に対する不快感を露骨に表した傲慢な聞き方。「気に入らない」という言葉は、たとえ疑問形にしても、攻撃的な印象を与えます。相手の態度が気に入らないからとしても、関係がどんどん悪くなっていくのがオチです。

■いまどきセクハラになる聞き方

×誰かいい人いないの？

なかなか結婚しない女性がいると、つい聞きたくなることもあるでしょう。でも、いまどき結婚適齢期などないに等しいもの。「よけいなお世話」と思われるだけで、下手をすると「結婚退職を迫っているの？」と邪推されかねません。

×彼氏いるの？

いまどきは、よほど気の置けない関係でない限り、女性に対して恋愛や結婚に関する質問はＮＧです。「おつきあいしている人は、いらっしゃるんですか?」と敬語にしても、ダメなものはダメ。聞いていいのは、自分が交際を申し込むときくらいでしょう。

×失恋でもしたの？

長かった髪をばっさり切った女性に対して、こんな質問をするのは、いまでは最悪に近いフレーズ。セクハラであるうえ、「髪を切る＝失恋」という紋切り型の発想が女性を辟易させます。落ち込んでいる様子だったとしても、せいぜい「心配ごとでもあるの?」ぐらいにしておくことです。

×まだいるの？

久々に会った他の部署の女性に対して、こんなセリフを口にすると、たとえ軽口でも、重大なセクハラになります。男性相手には、どれだけ長く同じ会社にいても、こんな質問はしないはず。

本書は、二〇一五年に小社より刊行された
『意外な展開から話が弾むモノの聞き方』を
文庫化にあたって改題し、加筆、修正のうえ、
再編集したものです。

青春文庫

会話《かいわ》の「しんどい」がなくなる本《ほん》

話《はな》すのは相手《あいて》が9割《わり》！

2020年11月20日　第1刷

編　者　ビジネスフレームワーク研究所《けんきゅうじょ》

発行者　小澤源太郎

責任編集　株式会社プライム涌光

発行所　株式会社青春出版社

〒162-0056　東京都新宿区若松町 12-1

電話 03-3203-2850（編集部）

03-3207-1916（営業部）

振替番号　00190-7-98602

印刷／中央精版印刷

製本／フォーネット社

ISBN 978-4-413-09765-9